MW00936200

BIENES RAÍCES EN LA FLORIDA: GUÍA PRÁCTICA

ANTES DE VENDER O COMPRAR UNA PROPIEDAD

Orlando V. Montiel

authorHOUSE™
1663 Liberty Drive, Suite 200
Bloomington, Indiana 47403
(800) 839-8640
www.AuthorHouse.com

First published by AuthorHouse 08/25/05

ISBN: 1-4208-6689-3 (sc)

Printed in the United States of America
Bloomington, Indiana

This book is printed on acid-free paper.

PRESENTACIÓN

Orlando V. Montiel, joven emprendedor venezolano, quien después de culminar sus estudios de finanzas y trabajar en la Banca, ambos en el sur de la Florida, Estados Unidos de Norteamérica, decidió asumir el reto del trabajo independiente, lo cual ha hecho con mucho éxito por más de diez años, especialmente en el campo de la asesoría, corretaje e inversión en bienes raíces.

Su experiencia de éxito está respaldada por más de 300 transacciones inmobiliarias que se han formalizado a través de sus propias firmas, Ioxus Financial Group, Ioxus Land Development, Ioxus Mortgage, LLC. e Ioxus Properties, todas con sede en Miami, Florida. Ioxus Properties que hoy cuentan con un equipo conformado por más de 25 agentes inmobiliarios, que coordinados armónicamente por Orlando V. Montiel, han hecho posible el significativo incremento en transacciones inmobiliarias allende las fronteras norteamericanas...

Como miembro de la Asociación de Corredores del Condado de Dade en Miami, comparte su tiempo entre la inversión en bienes raíces, el corretaje y el financiamiento inmobiliario, especialmente en los condados de Dade y Broward en la Florida.

Orlando V. Montiel está convencido que la mejor manera de disminuir el riesgo que eventualmente pueda correr el potencial comprador y/o vendedor de bienes inmobiliarios, particularmente en el sur de La Florida, Estados Unidos de Norteamérica, es a través de la información, del conocimiento del mercado y de los aspectos legales, financieros y tributarios vinculados con dichas transacciones. De allí que como aporte a este interesante mundo inmobiliario, él nos ofrece: *Bienes Raíces en la Florida Guía Práctica. Antes de vender o comprar una propiedad*

A mi querida esposa **DENISE**,
quien, por su paciencia y apoyo permanente,
hizo posible la culminación de este libro...

AGRADECIMIENTOS

A mi madre, quien hace diez años, me animó a incursionar en el mundo de bienes raíces … también han sido invalorables, su apoyo, sugerencias y estímulo...

A mi padre, por su constante presencia en todos mis proyectos…

A mi queridísimo hermano Daniel, por sus valiosas ideas y dinamismo en nuestra compañía, Ioxus Properties.

A Eduardo Ottolino, amigo y co-fundador de nuestra firma de bienes raíces, Ioxus Properties, por creer en este proyecto y por su excelente participación en la administración de la empresa…

A mi también amigo y socio, Carlos Oliveros, por confiar en nosotros e impulsar nuestro desarrollo personal y empresarial…

Y, por último, quiero expresar el mayor de mis agradecimientos a los agentes inmobiliarios con quienes he tenido la fortuna de compartir esta maravillosa experiencia del mundo de bienes raíces…y a nuestros clientes, por confiar en nosotros … Sin los agentes inmobiliarios y sin nuestros clientes hoy no pudiéramos hablar de crecimiento y experiencia exitosa …

Gracias,

PRÓLOGO

Siempre es una grata satisfacción prologar el surgimiento a la luz de una nueva obra, placer que se ve aumentado, bien si se percibe que la misma va a tener un cierto nivel de utilidad o interés para el público, bien si se trata de un autor al que tienes en gran estima y es garante de una rigurosidad y claridad en sus planteamientos.

En el caso del presente libro vienen a confluir precisamente esos dos elementos inductores de satisfacción: por una parte, el contenido del libro se puede considerar como muy interesante, tanto por su estructura, como por la forma en que está redactado, amén del constante apoyo a la exposición de los conceptos con numerosos casos y ejemplos prácticos. Por otra parte, el autor es persona que merece la máxima consideración profesional, dándose la circunstancia, además, de mi estrecha vinculación personal con Orlando V. Montiel, en la que compartimos inversiones, lo que me permite dar fe de su inequívoco grado de calificación profesional, y su admirable constancia personal, esto constituye la mejor vitola de excelencia profesional que puede acompañar, por tanto a la presente obra.

A lo largo de los capítulos que integran este libro se abordan de una forma eminentemente equilibrada, tanto desde el punto de vista intensivo, como extensivo, un inventario de materias que a la fecha de hoy debe contener un manual útil de apoyo a la gestión del Agente Inmobiliario, del Inversionista o del Ciudadano común que desea realizar una operación inmobiliaria, en un entorno cada vez más amplio, exigente y extendido en cuanto a la información que demanda conocer.

La oportunidad de una obra como la que aquí se presenta, la cual, aprovechando esa estela de desarrollo y experiencia práctica, y con los firmes baluartes intelectuales que le aporta su autor, estoy seguro ha de otorgar una alto valor añadido a todos aquellos profesionales o interesados en el tema que puedan convertirse así en agraciados lectores o usuarios de este libro.

Domingo A. Barony C.

Inversionista en Bienes Raíces

ADVERTENCIA LEGAL

Esta guía práctica, como su nombre lo indica, le brinda al lector una información que estimamos útil y confiable, en la medida que se fundamenta, tanto en el conocimiento que hemos adquirido en cada uno de los cursos y estudios que hemos realizado para la obtención de nuestras correspondientes licencias, como en la experiencia adquirida a través de los años en el desempeño de nuestra profesión como corredores inmobiliarios; sin embargo, vale advertir, que en razón del dinamismo de la actividad inmobiliaria, no podemos asegurar que la misma se mantenga vigente para el momento de su publicación.

Es por esta razón que la motivación que inspiró la elaboración de esta guía, no puede exceder de la simple transmisión de esa información y en ningún momento sugiere la sustitución de asesoría profesional, recomendamos enfáticamente que al momento de decidir hacer alguna transacción inmobiliaria, se contraten los servicios de profesionales vinculados con esta actividad económica (Abogados, tributaristas, corredores inmobiliarios debidamente acreditados, entre otros) que puedan orientar debidamente en la operación que se pretende hacer. Es por esto que al usar la información contenida en la misma usted esta de acuerdo en mantener libre de toda responsabilidad, reclamación, demanda o acción legal, tanto a nuestras empresas IOXUS PROPERTIES, IOXUS FINANCIAL Y IOXUS MORTGAGE como a todos sus accionistas, directores, asociados y/o empleados.

INTRODUCCIÓN

El libro que aquí se presenta, ***"Bienes Raíces en la Florida: Guía Práctica Lo Que Usted Necesita Saber Antes De Comprar O Vender una Propiedad"*** tiene como propósito fundamental orientar al potencial adquirente de un bien inmueble, bien sea en su carácter puramente propietario o de inversionista, para que su adquisición-inversión, sea segura desde las perspectivas financieras, legales y tributarias; y, así dejar eventualmente sin efectos esa premisa: "**Lo que usted *no* sabe, *puede* prejudicarlo.**"

La pertinencia de este libro se inscribe dentro del auge de la industria de la construcción que se observa especialmente en el sur del estado de La Florida; una reactivación que comienza a evidenciarse en el año 2003, momento en el cual esta industria representó 16 centavos de cada dólar gastado en la economía de los Estados Unidos, se construyeron más de 1.8 millones de nuevas casas y apartamentos. A partir de octubre de 2004, esta industria de la construcción ha llevado a la nación norteamericana a la recuperación económica, con un record de venta de 1.1 millones de nuevas viviendas, de acuerdo con el informe de la Asociación de Constructores de Florida (Builders Association of South Florida).

De acuerdo con las proyecciones realizadas por el "Departamento de Censo" en Abril de 2005, el Estado de La Florida, dentro de los próximos seis años, desplazará al Estado de Nueva York como la tercera entidad con mayor población.

Se estima que para el año 2011, la población actual del Estado de La Florida, cual es de 17.5 millones de habitantes, alcance los 19.6 millones, superando en 154.000 habitantes la población del Estado de Nueva York. Asimismo, se estima que para el año 2030 el Estado de La Florida será de 28 millones de residentes.

La construcción genera aproximadamente el 32% de las riquezas de la nación. Los propietarios de viviendas tienen un total de aproximadamente 8 trillones de dólares en capital inmobiliario, el cual usualmente es utilizado como ahorros para la jubilación, para reformas domésticas, para pagar deudas con altas tasas de interés, para cubrir gastos universitarios y así sucesivamente. Además de ser la mayor inversión que la mayoría de las personas hacen, comprar una vivienda representa, seguridad, estabilidad, logro, prosperidad, además de proporcionar, para muchísimas familias, el lugar de reunión.

Compartimos la opinión generalizada en el sentido de que comprar una vivienda debe constituir una de las mejores decisiones a favor del incremento del patrimonio, tanto afectivo como material, del adquirente y de su grupo familiar cuando este sea el caso.

Igualmente compartimos la afirmación de que la experiencia de comprar una vivienda debe ser gratificante, y que sólo lo será, en la medida que se conozcan las características del mercado inmobiliario donde se pretenda hacer la inversión, los riesgos financieros de la misma y las disposiciones legales atinentes a la materia. De lo contrario, la decisión de adquirir un inmueble, bien como inversión o con fines de ocuparlo, puede devenir en una situación verdaderamente amenazante, estresante y de un altísimo riesgo de carácter legal, financiero y tributario, que pudiera significar, en muchos casos, la pérdida absoluta de la inversión.

En razón de la complejidad de las transacciones inmobiliarias, por sus implicaciones financieras, legales y tributarias, que exigen el conocimiento, entre otros, de una terminología desconocida por la mayoría interesada en este tipo de transacción, así como de trámites, a veces interminables, es por lo que se recomienda, antes de tomar la decisión de adquirir un bien inmueble, buscar la asesoría de profesionales calificados en el área; entre ellos, vale destacar el abogado, la compañía de títulos de propiedad (Title company), el contador y el asesor inmobiliario, quien usualmente tiene acceso a estos profesionales, a fin de determinar las características del mercado, el potencial de revalorización del eventual inmueble, entre otros, así como las consecuencias financieras, legales y tributarias de la transacción. Estos expertos poseen conocimientos que le proporcionarán control cuando inicie el proceso de negociación. Y, en este sentido, cabe advertir que tener un equipo de expertos que le ayuden no tiene que ser costoso. Más adelante se especifican los pasos a seguir para reunir un buen equipo sin que ello signifique una erogación desmedida de dinero.

Recuerde: comprar una vivienda debe ser una de las experiencias más gratificantes en la mejora de su calidad de vida. Con la orientación adecuada, puede ser un proceso maravilloso; con asesoría equivocada, puede ser desastroso, arriesgado y costoso.

UNAS PALABRAS PARA AGENTES DE BIENES RAÍCES E INVERSIONISTAS CON EXPERIENCIA.

Independientemente que usted sea un agente inmobiliario nuevo o experimentado, este libro le ayudará en su mejor desempeño profesional, especialmente porque la mayoría de la información que aquí se suministra proviene de las dudas e interrogantes que del intercambio entre agentes inmobiliarios e inversionistas, hemos recopilados por años. El libro le permitirá reducir sus riesgos al asesorar y simultáneamente mejorar las relaciones con el cliente y el servicio ofrecido.

Si usted es un inversionista en bienes raíces con experiencia, se beneficiará al complementar sus conocimientos de cómo organizar el proceso y simultáneamente cubrir los aspectos de una transacción de bienes raíces.

Esperamos que esta guía práctica sea de gran utilidad para el momento en el cual decida comprar y/o vender una propiedad.

Para consultas, comentarios y/o sugerencias, puede comunicarse con nosotros a través de nuestro correo electrónico: montiel@ioxus.com, y/o la página Web: www.ioxus.com. También personalmente en la sede de nuestras oficinas ubicadas en: 999 Brickell Ave., Suite 555 en Miami Florida 33131. Teléfonos: (305)640-6133/fax: (305)358-0358, donde gustosamente le atenderemos.

CAPÍTULO 1
COMPRAR UNA VIVIENDA

La decisión de comprar y/o vender un bien inmueble debe estar acompañada de la adecuada información relacionada con la operación que se desea realizar, a fin de garantizar el éxito de la misma; por ello es de gran valor, en primer lugar, saber escoger el asesor inmobiliario, el asesor hipotecario, el abogado, el contador, la compañía de título; luego, orientar adecuadamente, la búsqueda y selección del inmueble; y, por último, en base a los elementos anteriores, y con fundamento a la disponibilidad económica, determinar y posteriormente realizar los trámites que se requieran para el fiel cumplimiento de los requisitos legales que la operación exija.

En este sentido, es importante destacar lo que a nuestro juicio, conocimiento y experiencia en el mundo inmobiliario, es fundamental tener en consideración:

1.- El agente inmobiliario
2.- Capacidad financiera.

3. Necesidades personales.
4. Oportunidad para Comprar/Vender.
5. Cómo buscar el inmueble.
6. La manera más efectiva para hacer la oferta.
7. Cierre de la operación de compra-venta.
8. Cuándo no comprar un inmueble.

1.- El agente inmobiliario.

En virtud de la gran importancia y responsabilidad que tiene el agente inmobiliario en las transacciones de esta naturaleza en los Estados Unidos de Norteamérica, resulta imperativo ser muy cauteloso en la escogencia del mismo, a la hora de decidir comprar y/o vender un bien inmueble. Por su relevancia dedicaremos, en las páginas siguientes, un capítulo a este tema.

2.- Determinar su capacidad financiera:

Cuando hablamos de capacidad financiera nos referimos a la cantidad de dinero disponible para:

a. Cancelar la inicial.
b. Pagar los costos de cierre.
c. Los pagos mensuales de hipoteca, mantenimiento e impuestos.

Este tema es ampliamente tratado en el capítulo referido al financiamiento.

3.- Necesidades Personales.

Es importantísimo precisar cuáles son las necesidades personales de quien aspira realizar una transacción inmobiliaria, bien como inversionista, o como propietario que aspira habitar el inmueble a adquirir, en razón de que éstas necesidades personales conjuntamente con la capacidad financiera serán determinantes en la búsqueda del bien inmueble: zona, potencial de revalorización, superficie de construcción, número de habitaciones, baños, áreas comunes, tales como jardines, piscina, gimnasio, "valet parking", sala de fiesta, de reuniones, etc.

4.- Oportunidad para comprar y/o vender (Timeline).

Este aspecto es crucial, en razón de la volatilidad de los mercados inmobiliarios. El momento para comprar y/o vender un inmueble, indefectiblemente incide en todos los aspectos relacionados con la transacción, entre otros, la posibilidad de adquirir un inmueble con las especificaciones que se desean, el precio del inmueble y la tasa de interés.

5.- Cómo buscar un inmueble.

Hoy en día hay una gran variedad de medios para buscar propiedades, como por ejemplo, en el periódico local y comunitario, a través de las páginas web de corredores inmobiliarios en los Estados Unidos de Norteamérica como por ejemplo realtor.com en revistas diversas, etc. Este proceso se optimiza y se hace mucho mas organizado si trabaja con un corredor inmobiliario que como mencionamos repetidas veces en el libro tiene acceso a una red especial, para localizar la mayoría del las propiedades a la venta en el mercado.

Al visitar una propiedad, sea discreto; no haga comentarios acerca de la misma, pueden ser escuchados por el vendedor o por el agente del vendedor; y ello pudiera resultar contraproducente.

Si usted está trabajando con un agente de bienes raíces y ve una propiedad anunciada en la prensa, un aviso en un jardín o un aviso de "Propietario Vende", contacte a su agente para que éste llame en nombre suyo. Es en beneficio suyo y es una muestra de respeto y confianza por el agente inmobiliario, quien seguramente ha estado trabajando para usted en forma diligente.

A continuación se presenta una lista detallada de algunos aspectos que deben considerarse en la escogencia de un inmueble, a objeto de minimizar los riesgos de realizar una compra inadecuada.

Es muy importante contratar la asesoria de un inspector certificado que examine la propiedad y le informe de cualquier problema oculto tales como; las tuberías, conductos de Aire acondicionado, sistemas eléctricos, etc...

6.- La manera más efectiva para hacer una oferta.

Una vez seleccionada la propiedad obtenga información acerca de las razones por las cuales el propietario ofrece en venta su inmueble. Usualmente, el vendedor no lo dirá hasta que usted indague lo suficiente; conocer estas razones pueden ser de gran utilidad para negociar el contrato en su beneficio. En términos generales sugerimos conocer, entre otros aspectos, los siguientes:

- Cuál es el plazo que tiene el vendedor para vender la propiedad.
- El monto de la deuda total sobre la misma.
- Si el vendedor habita la propiedad o la tiene arrendada.
- Si la propiedad está arrendada, la fecha de expiración del contrato de arrendamiento.
- Si el vendedor está en proceso de divorcio.
- Si el inmueble pertenece a una sucesión.
- Si el vendedor se está mudando fuera de la ciudad.

Su agente inmobiliario debe estar en capacidad de responder a estas interrogantes y de ayudar a negociar el contrato de acuerdo a sus necesidades personales.

Hacer una oferta en el mercado inmobiliario en los Estados Unidos de Norteamérica, es un asunto de gran responsabilidad y de importantes implicaciones legales.

En el momento en el cual firme el contrato, estará legalmente obligado a su oferta. Antes de presentarle el contrato al vendedor, asegúrese de que todos los términos, incluyendo período para solicitar hipoteca, contingencias financieras, depósitos en custodia, fecha de inspección y fecha de cierre, declaraciones y anexos, estén redactados de conformidad con los términos propuestos por usted.

Si quien pretende llevar a cabo una transacción inmobiliaria, no tiene un amplio conocimiento del contrato y de cómo debe estar redactado, se sugiere buscar la asesoría de un agente inmobiliario o de un abogado.

Recomendamos solicitar de su agente inmobiliario, un contrato-modelo, a los fines de familiarizarse con el mismo y elaborar, en su momento, una oferta que no suponga riesgos innecesarios.

7.- Cierre:

Esta es la etapa final del proceso que consiste en la firma, por las partes involucradas, de los respectivos documentos y transferencia del dinero, equivalente al precio de la transacción. Para mayor ilustración nos permitimos acotar que en ese momento, el comprador y el vendedor se reunirán en la oficina que haya preparado los documentos de cierre, bien sea la compañía de títulos de propiedad (title company) o la oficina del abogado. Hay una gran cantidad de papeleo legal involucrado, y usted, como comprador, firmará numerosos documentos. De allí la conveniencia de contratar los servicios de un profesional del derecho, quien desde la perspectiva legal, le orientará en las distintas etapas del proceso, incluida este importantísimo paso final.

El cierre se realiza cuando todos los términos del contrato de compra-venta han sido cumplidos, incluyendo precio de venta, depósitos, inspecciones físicas y legales, todas las declaraciones y documentos han sido intercambiados, la aprobación de la asociación, cuando ésta es requerida, el financiamiento ha sido asegurado, y todas las contingencias han sido solucionadas.

8.- Cuándo no comprar un inmueble.

Para garantizarnos que la decisión de comprar un inmueble sea la correcta, ésta debe basarse, entre otros, en la determinación de si es el mejor momento para ello. Este es un aspecto de doble cara, en virtud de que, por una parte, como ya se señaló anteriormente, está el referido a circunstancias ajenas al potencial comprador, como sería lo atinente a las condiciones propias que puedan caracterizar en ese momento al mercado inmobiliario de la zona donde se pretende adquirir el inmueble: potencial de revalorización, tasas de interés, etc. Y, por otra parte, está lo referido a las expectativas inherentes al comprador, las cuales, determinan si el momento para adquirir el inmueble fue el oportuno; a estos fines destacamos de manera preeminente que cuando la adquisición del inmueble se hace con fines de venderlo sin dar la oportunidad para que éste incremente su valor, al menos para cubrir los gastos de cierre y comisión, los cuales usualmente corresponden a aproximadamente el 6 por ciento del valor del inmueble y los costos de cierre, que son aproximadamente del 1,5 por ciento de ese valor, lo más probable es que usted termine perdiendo dinero. Por experiencia, pudiéramos resaltar que hay algunas variables que inciden en la determinación del adquirente del inmueble de venderlo en corto tiempo, entre ellas, las más frecuentes son:

Área desconocida:

Antes de adquirir un inmueble en una zona totalmente desconocida, se recomienda, si ello es factible, convivir en calidad de arrendatario por un tiempo breve, a fin de determinar si el sector, la comunidad donde pretende comprar, satisface un mínimo de sus expectativas. Nuestra experiencia nos habla de que la insatisfacción con los vecinos y el movimiento de la zona, induce al propietario recién adquirente, a la venta rápida del inmueble.

Permanencia en el inmueble por un tiempo menor a los 18 meses después de adquirido.

Cuando las condiciones personales, económicas y/o laborales del potencial adquirente hacen presumible la venta del inmueble en un tiempo menor a los dieciocho (18) meses, después de la protocolización de la transacción, se recomienda no comprar, pues lo más seguro es que ello sea un tiempo insuficiente para cubrir los gastos mínimos en los cuales se incurrió, con la consecuente pérdida de dinero.

CAPÍTULO 2 TRABAJAR CON UN AGENTE INMOBILIARIO (REALTOR).

¿Qué es un agente inmobiliario (Realtor)?

Un agente inmobiliario es un asesor de bienes raíces que pertenece a la Asociación Nacional de Agentes Inmobiliarios ("National Association of Realtors"). Esta es una asociación profesional con más de 750.000 miembros en los Estados Unidos. Dichos miembros son especialistas en la venta y compra de inmuebles residenciales y comerciales, así como en la administración de propiedades, tasadores y otros expertos quienes también son miembros de la Asociación Nacional de Agentes Inmobiliarios.

¿Por qué se debe contratar a un agente inmobiliario al comprar o vender una vivienda?

La asesoría y apoyo del agente inmobiliario, especialmente cuando se trata de clientes que no están familiarizados con el mercado y las implicaciones legales, financieras y tributarias, son determinantes para que la transacción que se pretende hacer se convierta en una experiencia de éxito, desde su inicio hasta su culminación.

Esta afirmación se sustenta en el hecho de que el agente inmobiliario experimentado, eficiente y responsable, dispone de una serie de conocimientos, contactos y recursos que permiten, por una parte, orientar al cliente, satisfacer sus interrogantes, aclarar sus posibles dudas, despejar temores, advertirle de eventuales riesgos; y, por otra parte, mostrarle más propiedades que las que el cliente, que aun conociendo el mercado, pudiera ver por su propia cuenta y riesgo.

Si se trata de la venta de un inmueble, el agente inmobiliario puede mostrar su propiedad a muchos más compradores que usted y por lo tanto tiene más probabilidades de vender más rápido y a un precio más elevado; en estos casos el agente inmobiliario sustituye al propietario del inmueble en venta en la tarea de captar, mostrar el inmueble, lo cual implica destacar la conveniencia de adquirir este bien, así como previene en muchos casos, el riesgo de seguridad.

Independientemente de la operación de que se trate, bien sea compra y/o venta, hay un factor de seguridad que cubre de manera significativamente el agente. En los casos de compra de un bien inmueble, el agente inmobiliario sabe determinar si mostrar su propiedad a alguna persona es seguro y vale la pena, de acuerdo con la variables predeterminadas que inducen a la búsqueda de inmuebles; si se trata de una venta, disminuye el riesgo para el vendedor de potenciales compradores desconocidos.

Estos y muchos otros factores, los cuales presentaremos más adelante en este capítulo, hacen que trabajar con un agente de bienes raíces se conviertan en una necesidad y un verdadero valor agregado.

Antes de decidirse por un agente inmobiliario, es conveniente verificar las credenciales del mismo, su experiencia y su conocimiento del mercado, así como la reputación de la compañía que representa. Puede que el agente no sea tan experimentado como usted desearía, pero esté respaldado por un equipo serio, integrado por corredores, contadores y abogados preparados competentes, honestos y con suficiente experiencia para garantizar que la transacción sea exitosa para todas las partes involucradas; sea cauteloso en la escogencia de su potencial agente inmobiliario y haga de éste su agente, su asesor, la persona en quien confiar en razón de su actuación profesional; de lo contrario tendrá tantos agentes como dudas e insatisfacciones pueda tener, lo cual indefectiblemente obstruirá un proceso que bien orientado debe ser un proceso serio y gratificante.

En este orden de ideas cabe enfatizar que el proceso de selección del agente inmobiliario se basa principalmente en la confianza, el servicio, el conocimiento, la experiencia, la responsabilidad y el equipo de expertos que el agente pueda ofrecer, no en la exclusividad de las propiedades. Recordemos que en Los Estados Unidos de Norte América en términos de propiedades, la industria de los bienes raíces está estandarizada y es por ello que las propiedades se encuentran en una lista llamada MLS, que conforma una red, donde todos los agentes inmobiliarios con licencia hallan propiedades, por lo que no hay secretos implicados en mostrar una propiedad.

El Agente Inmobiliario En El Proceso De Compra De Un Inmueble

Su agente inmobiliario le ayudara:

- Con base en su poder adquisitivo antes de ver propiedades, ahorrarle tiempo y frustración. Usted necesita tener una idea clara de sus posibilidades reales de inversión. No deseará perder tiempo viendo propiedades que no se encuentran dentro de su rango de precios, eso es algo sumamente desalentador. ¡Quizás Usted puede costear más de lo que pensó! El agente puede explicarle las opciones financieras, cuánto se debe pagar como inicial y cuánto sumarán los costos de cierre aproximadamente. El agente también puede proporcionarle montos aproximados de sus gastos mensuales, incluyendo hipoteca, mantenimiento, impuestos y seguro.
- Durante el proceso de búsqueda. Como mencionamos anteriormente los agentes tienen

acceso a un sistema computarizado donde están registradas la mayoría de las propiedades y poseen determinadas redes para hallar las mismas, redes que no se encuentran fácilmente a disponibilidad del público.

Este sistema computarizado, denominado "MLS" – Multiple Listing Services – (Servicios de Listados Múltiples), es un programa establecido en la Internet donde está registrada la mayoría de las propiedades. Los agentes inmobiliarios entran en este sistema para buscar propiedades en base a un patrón determinado por el cliente. Por ejemplo, digamos que usted está buscando un apartamento de 2 habitaciones y 2 baños en el área de Miami Beach, con un precio de entre US$250.000 y US$300.000. Todas las propiedades listadas para la venta aparecerán. El agente inmobiliario obtendrá información acerca de la propiedad, tales como los metros cuadrados, los impuestos anuales, el nombre del propietario, la vista panorámica que ofrece la unidad, las cuotas de mantenimiento, el monto pagado para comprar esa propiedad anteriormente, los nombres y números telefónicos de las personas a contactar y otra información relevante relacionada con la propiedad antes de fijar una cita para ver la misma. Los agentes experimentados utilizarán esta información para conseguir los mejores términos posibles para sus clientes. El público tiene limitado acceso a este sistema, pero sólo los agentes inmobiliarios con licencia tienen acceso completo a toda la información del sistema.

En Florida, usted puede entrar a nuestra página www.ioxus.com y buscar propiedades en el "MLS".

- A Negociar la propiedad con el mayor beneficio para usted. El agente sabrá cómo negociar el precio, el financiamiento, los depósitos, los períodos de inspección y otros importantes términos del contrato, representando sus intereses.
- Orientarle durante el proceso de cierre. Un agente experimentado debe ser capaz de guiarle durante todo el proceso, desde el momento de hacer la oferta y firmar el contrato hasta la fecha de cierre, sin inconvenientes. El agente le orientará con respecto a cuándo efectuar los depósitos, cómo hacer solicitudes de financiamiento, los requisitos de la asociación (en caso de comprar un apartamento), cuándo llevar a cabo la inspección física, le referirá a un abogado y a una compañía de títulos de propiedad (title company) y hará la revisión final eficientemente, entre otras cosas. Revisión final (Walk Through) es el término utilizado en la industria para describir la inspección final antes del cierre, realizada a fin de asegurar que la propiedad esté en la misma condición en la que estaba cuando se firmó el contrato.

Donde ubicar agentes de bienes raíces.

Existen muchos lugares en donde es posible ubicarlos.

- La sección inmobiliaria de su diario local es un excelente lugar.
- También es posible ubicar agentes inmobiliarios al conducir en la localidad donde se desea comprar. Los agentes inmobiliarios usualmente colocan avisos de "Se Vende" en las propiedades que están vendiendo.
- Los amigos, familiares, compañeros de trabajo, etc., son buenas fuentes, porque sus recomendaciones usualmente están basadas en la experiencia. Uno de los aspectos agradables de comprar una vivienda, es que casi todas las personas lo han hecho; tome ventaja de la experiencia de sus amigos y familiares. También puede contar con la asesoría de nuestra firma Ioxus Properties para sus necesidades personales de compra/venta de inmuebles.

Cómo escoger un Agente de Bienes Raíces.

Escoger un agente de bienes raíces es una de las decisiones más importantes en el proceso de compra y/o venta un inmueble y debe basarse en criterios fundamentalmente técnicos y objetivos. No todos los agentes de bienes raíces son apropiados para todas las situaciones; algunos agentes se especializan en propiedades comerciales, algunos en edificios de oficinas, incluso aquellos que se especializan en propiedadesresidencialespuedequetrabajenúnicamente en áreas específicas. De seguidas, señalamos algunos de los aspectos que deben tomarse en consideración en la selección de un agente inmobiliario.

- Cuánto tiempo ha estado en la industria.
- Cuáles servicios adicionales ofrece.
- Cuál es la comisión que le cobrará a usted.
- Asegúrese de trabajar con un agente que esté familiarizado con el área de su interés y comprenda sus necesidades particulares como cliente, tales como situación financiera, estatus como residente o extranjero, así como sus necesidades personales, tales como proximidad al lugar de trabajo y a escuelas, áreas infantiles y otros requerimientos.
- El agente inmobiliario a medio tiempo o tiempo parcial.

La experiencia en este sector de la economía, ha demostrado que el tiempo que el agente inmobiliario dedica a su actividad es determinante en la calidad de sus servicios. Y, ello se debe a la complejidad de este sector; complejidad que se deriva, por una parte, de la legislación que rige todas las transacciones de bienes inmuebles, compra y/o venta, en los Estados Unidos de Norteamérica y especialmente en el Estado de La Florida; y, por otra parte, la complejidad que se deriva de la variabilidad del mercado, lo cual determina, entre otros, la oportunidad para realizar una operación inmobiliaria, bien sea venta o compra; la escogencia del bien a adquirir, cuando de invertir se trata; las ventajas de adoptar una determinada opción financiera.

En consecuencia, el agente inmobiliario para quien esta actividad es sólo un complemento económico de cualquier otra, muy difícilmente puede garantizar un servicio de calidad, en el manejo de todas las implicaciones legales y del mercado, que pueda traducirse en asesorías oportunas.

- Solicite referencias personales y profesionales, credenciales, record de ventas, educación formal y licencias.
- Al elaborar una breve lista de posibles agentes, será útil que tenga preparadas las preguntas que desea hacer. Recuerde, usted está contratando a esa persona y estará depositando su confianza en ella, al igual que si estuviese contratando a alguien para un cargo en su empresa.

¿Quién paga la comisión del agente y qué monto es?

Usualmente hay dos agentes involucrados en la venta, uno que representa al vendedor y el otro que representa al comprador.

En la mayoría de los casos, el vendedor es el responsable por el pago de la comisión, que generalmente oscila entre el tres por ciento (3%) y el seis por ciento (6%) del precio de venta y la cual es dividida en partes iguales entre los dos agentes; es decir, que el comprador de la propiedad no es responsable de pagar ninguna comisión

CAPÍTULO 3
FINANCIAMIENTO

Hoy en día, existen cientos de complejas opciones de financiamiento entre las cuales escoger. El proceso no tiene porqué ser tan difícil como parece. Con la ayuda de un corredor hipotecario, de un banquero o de un corredor inmobiliario, usted debería ser capaz de encontrar el tipo de financiamiento que más le convenga de acuerdo a sus posibilidades y necesidades. Antes de explicar las diferentes formas de financiamiento, ofrecemos una lista de las **cosas que no se deben hacer** antes de comprar una vivienda. Estas cosas pueden reducir sus probabilidades de obtener un préstamo o mejores términos.

Cosas que ***no se deben hacer*** antes de comprar una vivienda:

1. No haga compras importantes a crédito. Por ejemplo, no compre muebles, artefactos

electrodomésticos, ropa o un automóvil a crédito. Ello afectará su clasificación crediticia y su deuda en relación con su índice de ingresos, lo cual, en opinión de la potencial institución crediticia, usted tendrá menos capacidad de pagar su hipoteca.

2. No movilice el dinero. Algunos bancos requieren que el solicitante del crédito tenga un saldo en su cuenta bancaria que pueda satisfacer entre dos y seis meses del respectivo pago mensual. Éstos desean ver que el dinero ha permanecido en la cuenta durante un período razonable de tiempo, al menos dos meses.
3. No permita que la institución crediticia tenga acceso a su informe de crédito hasta que usted esté listo para solicitar una hipoteca. Cada vez que alguien solicita su informe de crédito, su puntuación de crédito desciende entre cinco y siete puntos.
4. No se mude, si es posible. La mayoría de las instituciones crediticias desean ver estabilidad; cambiar de residencia no es un signo de estabilidad, al menos para ellos. De ser posible, permanezca en la misma residencia hasta ser aprobada la eventual solicitud del préstamo hipotecario.

5. No cierre o abra cuentas de crédito. Ello puede afectar negativamente su clasificación de crédito.

Antes de solicitar una hipoteca se debe obtener una copia de su informe y puntuación de crédito. Su informe de crédito es recopilado por tres compañías privadas: Equifax, Experian y TransUnion. Usted puede pedir una copia de su informe a través de sus páginas, vía telefónica o por correo. Una vez que haya obtenido su informe de crédito, asegúrese de que la información es correcta, de lo contrario, haga que cualquier discrepancia sea corregida o que cualquier información no actualizada sea eliminada antes de que la correspondiente institución crediticia obtenga su informe de crédito. El acceder a su propio informe de crédito no afecta su clasificación. El informe debe ser obtenido 90 días antes de solicitar un préstamo, a fin de tener el suficiente tiempo para corregir cualquier información equivocada.

Mas adelante explicaremos las opciones financieras para clientes sin historial de crédito o internacionales.

¿Qué opción de financiamiento escoger?

A fin de determinar cual es la mejor opción de financiamiento para su caso, primero se debe determinar su poder financiero. Al pensar en comprar una vivienda, primero se debe tomar en consideración los siguientes factores, a fin de determinar su poder adquisitivo:

1. **Inversión Inicial (Down payment):**
   - Inicial.
   - Costos de Cierre.

2. **Gastos Mensuales:**
   - Pago de Hipoteca.
   - Impuestos.
   - Mantenimiento.
   - Seguro.

¿Qué es una inicial (Down payment)?

La inicial es un porcentaje del precio de compra, de la propiedad que se planifica comprar. Este porcentaje varía dependiendo de los requerimientos de la institución crediticia y del tipo de programa que usted escoja. Usualmente, la inicial varía entre el diez por ciento (10%) y el treinta por ciento (30%) sobre el precio de compra. Por ejemplo, si una propiedad tiene un precio de US$300.000, una inicial del 10 por ciento sería de US$30.000, una inicial del 20 por ciento sería de US$60.000; mientras más alta sea su inicial, más oportunidades tendrá de obtener un préstamo con mejores términos, incluyendo una tasa de interés menor.

Costos de Cierre

Éstos son gastos involucrados con la obtención del préstamo.

El cálculo de los costos de cierre es una parte muy importante de su inversión inicial. Prestar atención a los numerosos detalles que comprenden los costos de cierre es una parte esencial del proceso de financiamiento.

Los costos de cierre oscilan entre el tres por ciento (3%) y el seis por ciento (6%) del precio de compra, dependiendo de muchos factores, tales como la compañía de financiamiento (banco o compañía hipotecaria), su puntuación de crédito, monto de la inicial, activos y pasivos, salario e ingresos, entre otros factores.

Cabe observar que cuando una propiedad se compra de contado, los costos de cierre disminuyen significativamente debido a que la mayoría de estos gastos están relacionados con el financiamiento.

La siguiente lista incluye los costos de cierre más comunes cuando se necesita financiamiento. Obtener una hipoteca involucra gastos y tarifas. Algunas de estas tarifas son negociables, otras no lo son.

- **Tarifa por la Aplicación (Application Fee. US$50-US$350).** Cobrada por el banco o la compañía hipotecaria para procesar su solicitud. Usualmente, puede ser negociada.
- **Avalúo (Appraisal) (US$150-US$650).** Obligatorio por el banco y debe ser realizado por un perito avaluador, quien actúa en nombre de quien otorgaría el crédito a fin de determinar el valor de mercado de la propiedad. En otras palabras, el banco desea asegurarse de que la propiedad vale lo que el vendedor está pidiendo

en caso de que el banco tenga que embargar la propiedad y venderla. La tarifa que se cobra por el avalúo de una propiedad residencial unifamiliar, apartamento o townhouse varía dependiendo del tipo de vivienda, tamaño y características particulares de la misma. En la mayoría de los casos, el solicitante del crédito tiene derecho a recibir una copia del avalúo.

- **Emisión del Préstamo (Origination Fee, 0.75 por ciento hasta 2 por ciento del monto del préstamo).** Cobrada por el banco o la compañía hipotecaria por prestarle el dinero. Si usted da una inicial considerable y tiene buen crédito, usted no debería tener que pagar esta tarifa. Asegúrese de saber si la está pagando y por cuánto es. En muchos casos, puede ser negociada. En caso de estar trabajando con un corredor hipotecario, dicha tarifa usualmente es parte de la comisión que le será pagada al mismo.
- **"PMI" – Private Mortgage Insurance (Seguro Hipotecario Privado).** Cuando el aspirante al crédito no dispone de un mínimo del veinte por ciento (20%) de inicial, lo más frecuente es que la institución crediticia requiera un "PMI" o Seguro Hipotecario Privado. Mientras menor sea la inicial,

mayor será el riesgo para el banco, y menor margen tendrá el otorgante del crédito de recuperar su inversión en caso de que el eventual deudor no pueda cumplir con su obligación de pagar lo adeudado. La ventaja es que ello le permite a personas con escasos recursos comprar una vivienda.

Vale advertir que la obligación de pagar un "PMI" se mantendrá vigente hasta tanto sus pagos mensuales satisfagan el veinte por ciento (20%) del capital de su préstamo; alcanzado este porcentaje del referido capital debe cesar de inmediato tal obligación.

Esta obligación igualmente puede cesar cuando el valor de su propiedad aumenta debido a un aumento de los precios del mercado. Digamos que usted compró una vivienda por US$200.000 con una inicial del 10 por ciento, y después de dos años la propiedad tiene un valor de US$250.000. Su préstamo aún será de aproximadamente US$180.000, pero su propiedad ahora vale US$250.000. Por lo tanto, su capital es aproximadamente 28 por ciento. Usted puede solicitar un nuevo avalúo del acreedor hipotecario para verificar el presunto nuevo valor de su propiedad, y si usted tiene un capital del veinte por ciento (20%) o superior, tiene derecho de cancelar su póliza de PMI".

Aunque muchos estados requieren que la institución crediticia cancele la póliza una vez que el deudor hipotecario ha alcanzado el veinte por ciento (20%) del capital, usted debe informar al financista que ha llegado a este límite porcentual.

Si su inicial es menor del veinte por ciento (20%), obtenga información de la respectiva institución crediticia, acerca del "PMI". Infórmese sobre si es aplicable en su caso, si se puede evitar, cuáles son las disposiciones de terminación anticipada y cuánto le costará mensualmente.

- **Puntos Hipotecarios (Points).** Es una cuota o pago por adelantado que se hace a la institución crediticia para reducir la tasa de interés, lo cual a su vez reduce su pago mensual. Cada punto cuesta uno por ciento del saldo de la hipoteca. Por ejemplo, digamos que usted obtuvo un préstamo por US$200.000 con una tasa de interés del 7 por ciento. Usted podría reducir el interés a 6,75 por ciento pagando US$2.000 (un punto) o a 6,5 por ciento pagando US$4.000 (dos puntos). La mayoría de los bancos permiten hasta cuatro puntos. Mientras más puntos pague, menor será la tasa de interés. Los puntos hipotecarios no son ni buenos ni malos, simplemente son una decisión financiera.

Es necesario determinar dos cosas para averiguar si pagar puntos es financieramente conveniente para usted o no.

1. ¿Puede usted pagar la cuota por adelantado?
2. ¿Por cuánto tiempo tiene planificado conservar el préstamo?
3. Para averiguar si debe comprar puntos, utilice este calculador en la página web: www.mortgages-loans-calculators.com/Provide-Calculators.asp. También recuerde, los puntos usualmente son desgravables.

- **Seguro de Título de Propiedad (Title Insurance).** Una póliza que cubre al comprador y al prestamista en contra de cualquier defecto en el estatus legal de la misma, a cambio de un pago único de prima realizado por el comprador al momento del cierre. El seguro de título de propiedad garantiza el derecho de propiedad de un propietario.

La compañía de seguros asume cualquier riesgo relacionado con dicho estatus legal. El seguro de título de propiedad es requerido por la institución crediticia al financiar una vivienda.

- Las tarifas por seguro de título de propiedad están pre-establecidas. La tarifa es US$5,75 por US$1.000 hasta US$100.000 o US$575 por $100.000, o US$5 por US$1.000 hasta US$1.000.000 o US$500 por cada US$100.000 del valor de la propiedad, no del monto del préstamo.
- **Investigación del Título (Title Search).** Se lleva a cabo para verificar todos los registros públicos que involucran el estatus del título legal de una determinada propiedad. El propósito de dicha investigación es confirmar que no haya problemas tales como derechos de retención o demandas sobre la misma. Esta investigación es llevada a cabo por un abogado o por una compañía de títulos (title company) que usualmente representa al comprador.
- **Informe de Crédito (Credit Report). Aplica sólo a ciudadanos norteamericanos o residentes.** Costo US$25-US$50. Los

bancos determinan si procede o no el otorgamiento del crédito solicitado, con base, fundamentalmente, en el reporte de crédito del aspirante; referencia esta que lo proporciona una compañía de informes de crédito y el costo por la emisión del mismo corre por cuenta del solicitante del crédito.

- **Cuotas de Inspección.** Costo (US$150-US$750) dependiendo de las características de la propiedad).

  Las inspecciones usualmente son pagadas por el comprador antes del cierre y son realizadas para determinar las condiciones físicas de la propiedad. Recomendamos ampliamente contratar a un inspector profesional; su agente de bienes raíces puede sugerirle uno.

  El inspector verificará las condiciones referidas a la electricidad, calefacción, filtraciones, tuberías de aguas negras y blancas, las bases de la construcción, funcionamiento del aire acondicionado y evaluará otros importantes aspectos relacionados con las buenas condiciones de habitabilidad y permanencia segura dentro del inmueble.

- **Cuota de Registro (Recording Fee).** Cuota cobrada por la compañía de títulos (title company) por registrar la venta en el registro público.
- **Seguro de Propietario de Vivienda.** Ver el Capítulo "Seguro".
- **Seguro contra Riesgos.** Ver el Capítulo "Seguro".
- **Honorarios de Abogado.** Probablemente usted necesitará un abogado que le represente en el cierre y durante todo el proceso; sus honorarios serán fijados en la oportunidad de su eventual contratación. En muchos casos la companía de título lo representará legalmente.
- **Cuota de la Empresa Constructora (Developer Fee)** 1,25 por ciento – 1,75 por ciento del precio de compra): **Cuando usted compra una unidad en un proyecto antes de la construcción,** la empresa constructora cobra lo que se denomina una "cuota de impacto o cuota de la empresa constructora". Esta cuota cubre los costos de cierre de dicha empresa. Éste es un cargo usual y muy difícil de negociar.

- **Cuota de Convenio Financiero.** Cobrada por el agente de cierre, la compañía de títulos de propiedad (title company) o el abogado por el cierre del préstamo.
- **Impuestos Intangibles.** (0,0020 por ciento del monto del préstamo). Éste es un impuesto cobrado por el estado en el momento del cierre.
- **Impuesto de Estampilla de Documentación.** (0,0035 por ciento del monto del préstamo). Éste es un impuesto cobrado por el estado en el momento del cierre.
- **Otros . Honorarios Profesionales.** Este monto varía dependiendo de los servicios contratados por el comprador, tales como contadores y abogados.

La clave para obtener una hipoteca favorable es no solamente asegurar una tasa de interés conveniente, sino también entender las diferentes cuotas aplicables para calcular el costo real del préstamo. Investigue precios, compare tasas y cuotas. Converse con diferentes bancos, corredores hipotecarios e incluso prestamistas privados. Después de reunirse con varias instituciones de crédito, decida cuál de ellos ofrece mejores opciones. Luego, solicite un "**Estimado de Buena Fe**" (Good Faith Estimate), el cual consiste en una hoja que explica detalladamente el costo total del préstamo.

Determinar los Gastos Mensuales

Después de decidir cuál será su inversión inicial (inicial más costos de cierre), usted debe determinar sus gastos mensuales, los cuales comprenden cuatro diferentes tipos de pago: hipoteca, impuestos, seguro y mantenimiento.

- **Hipoteca.** Dependiendo de la tasa de interés, plazo y monto del préstamo, la hipoteca es la cantidad que usted le paga al banco por capital e interés sobre el préstamo. Las opciones de hipoteca se discutirán detalladamente más adelante.
- **Impuestos.** Los impuestos varían dependiendo del área en donde esté ubicada la propiedad, pero usualmente mientras más costoso sea la zona o sector, más elevados serán los impuestos. Pregúntele a su agente de bienes raíces cuál es el monto promedio de la factura de impuestos en el área en la cual usted piensa comprar, o los impuestos sobre una propiedad específica que usted haya escogido. Generalmente, en el Sur de la Florida, los impuestos anuales

se ubican desde 1,75 por ciento hasta 2,2 por ciento del precio de compra. Los impuestos se discuten más detalladamente en capítulos posteriores.

- **Seguro.** El seguro de propietario de vivienda y el seguro "PMI" (seguro hipotecario privado) usualmente forman parte del pago mensual. Los planes de seguro se discuten más detalladamente en capítulos posteriores.
- **Mantenimiento.** Varía dependiendo de la propiedad, pero corresponde a entre 30 y 50 centavos por pie cuadrado, en complejos multifamiliares. En viviendas unifamiliares, depende del estilo de vida del propietario.

Para determinar su potencial pago mensual hipotecario entre a nuestra pagina web www.ioxus.com.

Planes Hipotecarios

Cuando se trata del financiamiento de una vivienda o de la obtención de una hipoteca, las opciones son virtualmente ilimitadas. Existen diversos programas para diferentes tipos de clientes y necesidades.

A continuación se presenta un breve resumen de los planes más comunes que se encuentran disponibles, de manera que usted pueda tener una mejor idea de aquello que podría satisfacer sus necesidades. Sin embargo, existen muchos más detalles que necesitaría cientos de páginas para explicarlos todos. Así que, después de escoger un plan, asegúrese de entender todos los detalles del mismo.

Las opciones de financiamiento más comunes para propiedades residenciales son las siguientes:

- Tasa fija de interés a 30 años.
- Tasa fija de interés a 15 años.
- Hipotecas con Tasa Ajustable ("ARMs", por sus siglas en inglés).
- Préstamos con Pago de Interés Únicamente.

Préstamo con tasa fija de interés a 30 años

Un préstamo con tasa fija a 30 años significa que el interés y el pago mensual no cambian durante un período de 30 años. Todos los términos permanecen iguales.

El préstamo a 30 años y a 15 años es recomendable para personas que tienen planificado conservar su vivienda durante un largo período, usualmente más de cinco años. Éste es un programa conveniente para personas quienes viven con un presupuesto fijo, sin expectativas de un aumento de ingresos en el futuro. Este programa funciona muy bien para personas listas para jubilarse o personas mayores.

Aproximadamente el 45 por ciento de los estadounidenses se muda a otra casa o se refinancia dentro de un período de cinco años después de obtener un préstamo. Si tiene planificado mudarse o refinanciarse dentro de los siguientes cinco años, entonces un préstamo con tasa fija de interés a 30 o a 15 años probablemente no es su mejor opción. Usted se beneficiará más obteniendo un préstamo más económico (pagos mensuales inferiores) con una tasa variable de interés. El dinero que usted ahorre podría ser utilizado para la inicial de su próxima vivienda.

Ventajas:

- Pagos fijos durante el plazo del préstamo. Usted sabe exactamente el monto que pagará durante los siguientes 30 años.
- Pagos mensuales inferiores a aquellos de los préstamos por plazos más cortos, como los préstamos con tasa fija de interés a 15 años, porque usted tiene más tiempo para pagar.

Desventajas:

- Usualmente, usted pagará más interés durante el plazo del préstamo.

Préstamo con tasa fija de interés a 15 años

Tiene todas las características del préstamo con tasa fija de interés a 30 años, pero el plazo es de 15 años. Este tipo de préstamo también es recomendable para personas con ingresos fijos.

Ventajas:

- El plazo es más corto. La propiedad se paga en la mitad del tiempo en el que se pagaría con un préstamo convencional con tasa fija de interés a 30 años.
- El costo total debería ser inferior al de una hipoteca con tasa fija de interés a 30 años.
- Generalmente, la tasa de interés es inferior a la de un préstamo con tasa fija de interés a 30 años.

Desventajas:

- El pago mensual es más elevado.
- Debido a que los pagos de hipoteca son más elevados, calificar es más difícil porque se requiere un ingreso mayor.

Hipotecas con Tasa Ajustable ("ARMs", por sus siglas en inglés)

Este tipo de hipoteca tiene interés variable. Usualmente el interés es fijo (no cambia) durante uno, tres o cinco años, y luego varia de acuerdo con un índice establecido por el banco. Los términos del préstamo generalmente estipulan que el interés no puede variar más de una cantidad determinada, estableciendo lo que se denomina un límite máximo (no puede ser superior a una determinada tasa) o un límite mínimo (no puede ser inferior a una determinada tasa). Este programa usualmente es recomendable para personas quienes tienen planificado conservar su vivienda durante un período de menos de cinco años. El comprador aprovecha la baja tasa de interés y luego se refinancia o vende la propiedad. Usualmente, después de cinco años, la hipoteca con tasa ajustable se vuelve muy costosa debido a que la tasa de interés aumenta considerablemente. La Hipoteca con Tasa Ajustable ("ARM", por sus siglas en inglés) es utilizada por muchas personas que compran por primera vez, personas jóvenes que esperan que sus ingresos aumenten durante los próximos años o inversionistas quienes tienen planeado vender en un plazo de 24 meses o menos. Esas personas aprovechan el bajo pago mensual inicial y luego venden o se refinancian para obtener un préstamo con tasa fija de interés, lo cual estabiliza el pago.

Ventajas:

- La tasa de interés inicialmente es inferior a la de los préstamos con tasa fija de interés a 30 y a 15 años, usualmente desde 1,5 por ciento hasta 3,5 por ciento más baja.
- Pagos iniciales inferiores debido a la menor tasa de interés.
- Hace que comprar sea más accesible.
- En la opción variable, la tasa de interés está sujeta a un índice; si el índice baja, el pago disminuirá.

Desventajas:

- Si las tasas de interés suben, los pagos aumentan.
- Puede que una reserva de efectivo sea necesaria, en caso de que las tasas de interés suban y se necesite dinero adicional para efectuar el pago.
- Si sus ingresos no aumentan, es posible que usted no sea capaz de costear los pagos si usted no vende o refinancia.

Préstamos con Pago de Interés Únicamente

El pago de cualquier tipo de préstamo explicado anteriormente está dividido en dos partes: el capital, que es el monto adeudado al prestamista, y el interés, que es el monto que el prestamista obtiene como ganancia por prestarle el dinero. Con el préstamo con pago de interés únicamente, usted sólo paga el interés, lo cual reduce su pago mensual enormemente.

Ventajas:

- Maximiza el flujo de efectivo.
- Puesto que sólo se paga el interés, el pago mensual es sumamente bajo.
- El comprador puede costear una vivienda más costosa, porque el pago mensual es más bajo.
- Conveniente para propósitos de inversión: si se tiene planificado vender la propiedad en un corto período de tiempo, usualmente menos de tres años. El costo implicado, es decir el costo de mantener la propiedad, es inferior al costo de un préstamo convencional, en el cual también se debe amortizar el capital.
- Usted tiene la opción de efectuar pagos adicionales sin incurrir en penalidades.

Desventajas:

- El monto del préstamo o capital permanece igual después de cada pago.
- Usualmente tasa de interés más elevada.

Con respecto a los préstamos con pago de interés únicamente, vale comentar que hoy día esta constituye la modalidad de crédito hipotecario con mayor demanda. Una de las ventajas ya descrita es la de la tasa inicial de interés que usualmente es más baja, y se mantiene fija durante un determinado período, uno, tres o cinco años antes de convertirse en variable, es decir, cambia.

Evitar el pago de capital en un préstamo con pago de interés únicamente por la cantidad de US$250.000 a una tasa de 6,25 por ciento, en comparación con un préstamo con tasa fija de interés a 30 años a una tasa de 6,25 por ciento, se traduce en un ahorro de US$200 mensualmente.

Ningún préstamo es intrínsecamente bueno o malo; es cuestión de entender cada tipo de ventajas y desventajas para sus necesidades particulares.

Préstamo con Baja Inicial y Sin Documentación

Éste es un tipo de préstamo que es conveniente para personas que no pueden demostrar un ingreso constante, tal como un salario, por ejemplo; peluqueros, mesoneros, etc. El eventual otorgante del crédito no verifica ninguna o poca información acerca del historial de trabajo, salario o activos. No obstante, se cobra una tasa de interés más elevada debido al riesgo adicional que es asumido por el banco.

Ventajas:

- Algunas personas tienen dificultad para demostrar sus ingresos. En este tipo de préstamo, la institución crediticia no requiere prueba de los ingresos y activos.
- El papeleo requerido es mínimo.

- Conveniente para personas con varias viviendas, puesto que la deuda con respecto al índice de ingresos no es verificado.

Desventajas:

- Interés más elevado, la institución crediticia asume un mayor riesgo puesto que desconoce el historial financiero del comprador.
- Usualmente se requiere una inicial más alta.
- Es necesario un mayor nivel de crédito.

Préstamos Divididos o "Piggyback"

Los préstamos divididos o "Piggyback" combinan dos en uno, es decir, una hipoteca por el ochenta por ciento (80%) y luego una segunda hipoteca por el veinte por ciento (20%) o también una 90%-10%; frecuentemente, es para solicitantes con poca o ninguna inicial. En este caso, un banco desea prestar un 80%-90% y el otro prestará un 10%-20%, permitiéndole al prestatario llevar a cabo la transacción con poca o sin ninguna inicial y evitar el seguro hipotecario privado ("PMI", por sus siglas en inglés).

Ventajas:

- Se puede evitar pagar el seguro hipotecario privado ("PMI", por sus siglas en inglés) cuando la inicial es inferior al 20 por ciento del valor de la propiedad.

- El pago de la hipoteca 80%-90% generalmente es inferior. Debido a que generalmente solo se paga el interés.

Desventajas:

- Tasa de interés más elevada en la segunda hipoteca.

Préstamos Sin Inicial.

Sin inicial significa que el solicitante, eventual deudor hipotecario no paga dinero por concepto de cuota inicial.

Ventajas:

- Excelente opción cuando el eventual deudor hipotecario tiene los ingresos para los pagos mensuales pero tiene poco o ningún dinero en efectivo para la inicial.
- El eventual deudor hipotecario puede pagar un mayor monto del préstamo porque el monto de mismo esta en parte basado en la capacidad de efectuar los pagos mensuales. De forma que, si usted puede pagar aproximadamente US$2.000 mensualmente, es posible que califique para una hipoteca convencional de US$335.000 con tasa fija al 6 por ciento, mientras que

con una hipoteca sin inicial y solo pago de intereses es posible que califique para un préstamo de US$400.000.

Desventajas:

- Tasa de interés más elevada porque el banco asume un riesgo adicional al no tener capital en la propiedad.
- En caso de necesitar vender su propiedad poco tiempo después de comprarla, es posible que la revalorización sea poca o ninguna por lo cual no le cubriría los costos de cierre y las comisiones de venta.

¿Qué preguntas se le deben hacer a la eventual institución crediticia, acreedor hipotecario antes de obtener una hipoteca?

Toda pregunta es importante para garantizar que usted tenga el debido conocimiento de la transacción que pretende efectuar, entre otros, precisar todo lo atinente a las estimaciones de los costos de cierre.

La ley requiere que el eventual acreedor hipotecario le proporcione un documento denominado "Estimado de Buena Fe"(Good Faith Estimate). Este documento calculará sus costos de cierre y el monto que la institución crediticia le cobrará por emitir el préstamo. El "Estimado de Buena Fe" es el documento que se utiliza para comparar las entidades que otorgan los créditos hipotecarios y los productos que ofrecen.

A continuación algunas de las preguntas claves al momento de comparar distintos planes crediticios.

- **Penalidades por Pago Anticipado.** Por definición, una penalidad por pago anticipado es una cuota que el banco le cobra al deudor hipotecario por pagar el préstamo, o una parte del mismo, antes de su vencimiento. El monto varía entre 2 y 4 por ciento del monto del préstamo. La mayoría de los préstamos con tasa variable de interés tienen una penalidad por pago anticipado, si usted decide pagar dentro de los primeros dos a cinco años. Hágale a su entidad crediticia las siguientes preguntas:

    1. ¿Existe alguna penalidad por pago anticipado?
    2. En caso de existir alguna penalidad, ¿Qué cantidad es?
    3. ¿Durante cuánto tiempo es aplicable?
    4. ¿Cómo puedo evitar pagar esa penalidad?

En muchos casos, esta penalidad por pago anticipado puede ser negociada.

- **Puntos (Points).** Como se explicó anteriormente, los puntos son cuotas o pagos por adelantado que se hacen al banco para reducir la tasa de interés, lo cual a su vez reduce el pago mensual. Pregúntele a su institución crediticia si está cobrando puntos para reducir la tasa de interés, luego evalúe si pagar puntos es conveniente para usted o no. Los puntos se indican en el "Estimado de Buena Fe".
- **Cuota de Emisión (Origination Fee).** Cobrada por el otorgante del crédito, realmente es la comisión por emitir el préstamo. Cuando la cuota de comisión es igual o superior al 1,5 por ciento, se sugiere buscar otra compañía e intente conseguir una mejor negociación. A menos que usted tenga poco o mal crédito, nunca debe pagar más del 1,5 por ciento, lo cual ya es elevado.
- **¿Variarán sus pagos?** Asegúrese de entender claramente si sus pagos variarán o permanecerán iguales durante el plazo del préstamo. En caso de variar, pregunte con qué frecuencia y cuánto es lo máximo que pueden cambiar durante ese período

de tiempo. De esta forma, usted sabrá el riesgo que está asumiendo.

¿Cuáles documentos solicita la institución crediticia?

Cada institución tiene sus propios requerimientos dependiendo de los productos y clientes; estos son los documentos básicos que un cliente necesitará al solicitar un préstamo.

- Número de Seguro Social. (No necesario para clientes no residents de los Estados Unidos)
- Declaraciones de Rentas.
- "W-2". (Una planilla de impuestos que indica el salario total pagado a un empleado y los impuestos retenidos durante el año calendario. Esta planilla es preparada por el empleador para cada empleado, si este trabaja en los Estados Unidos).
- Estados de Cuenta Bancarios correspondientes a los seis meses anteriores: cuentas corrientes y de ahorros; certificados de depósitos; planilla "IRA"; planilla "401k"; acciones, bonos y cualquier otro tipo de cuentas financieras.
- Una constancia de trabajo donde se indique el salario y la antigüedad en el empleo.

- Dirección de habitación durante, al menos, lo dos (2) últimos años.
- Balance personal donde se detallen con respecto del solicitante, su activo (patrimonio personal) y su pasivo (tarjetas de crédito, pagos de vehículos y deuda hipotecaria y cualesquiera otro que afecte dicho patrimonio).
- Copia del pasaporte y visa cuando se trata de un comprador no residente o ciudadano norteamericano.
- Carta de verificación de ingresos emitida por un contador público del comprador bien sea éste no residente o ciudadano norteamericano.

CAPÍTULO 4 EXENCIÓN FISCAL PARA LA VIVIENDA PRINCIPAL. Homestead Exception

¿Qué es una exención fiscal para la vivienda principal?

En primer término vale acotar que una vivienda principal es aquella que como tal es ocupada por el propietario de manera permanente. A este tipo de vivienda el Estado de La Florida le otorga una exención, la cual beneficia a todas las personas que tienen el título legal basado en el derecho de equidad de una propiedad residencial que mantiene como su domicilio permanente.

La exención fiscal sobre la vivienda principal tiene tres grandes beneficios, siendo el más conocido, aquél que permite al propietario de la vivienda hacer una deducción de US$25.000 del valor fiscal del inmueble, lo cual disminuye la obligación tributaria anual. Sin embargo, existen dos beneficios más importantes que la mayoría de las personas desconocen:

Protección contra los acreedores

En Florida, el propietario tiene el derecho de proteger su vivienda principal, su vivienda familiar, de todos los acreedores protección esta que es ilimitada, no es afectada por el monto de la acreencia que eventualmente se pudiera reclamar, esto es, se mantiene independientemente de la deuda cuyo cumplimiento se pretendiera exigir.

La propiedad está protegida en hasta medio acre de terreno continuo si está ubicada en un municipio o de hasta 160 acres si está fuera de un municipio. Por esta razón el estado de La Florida, es llamado el estado amistoso para los deudores. La exención es aplicable inclusive cuando el propietario adquiere o extiende una propiedad con la intención de evitar a los acreedores fraudulentamente.

Es común escuchar que los criminales de cuello blanco compran casas multimillonarias en La Florida y se convierten en residentes para proteger sus activos de los acreedores. Luego solicitan una línea de crédito sobre el capital de la propiedad por el 80 ó 90 % del valor de la misma y se sustentan con eso.

Limita el aumento del valor fiscal de la propiedad a tres por ciento (3%) por año.

Esto significa que los impuestos sobre su propiedad sólo pueden aumentar tres por ciento (3%) anualmente.

Este es un beneficio inmenso porque el valor de las propiedades aumenta vertiginosamente cada año.

¿Quién califica?

Califica todo ciudadano, nacional o extranjero residente que tenga su residencia permanente en los Estados Unidos; cualquier residente legal de La Florida que posea una propiedad con carácter de residencia principal puede solicitar la correspondiente exención.

¿ Dónde y cuándo se puede solicitar la exención?

La **solicitud inicial** debe realizarse ante la oficina de avalúo de inmuebles, entre el 1º de enero y el 1º de marzo de cada año, siendo éste el único período anual para introducir las respectivas solicitudes. Una vez satisfecha por el órgano competente ésta se renovará automáticamente cada año hasta que venda la propiedad o solicite que otra sea su vivienda principal a los fines de esta exención.

La primera solicitud debe satisfacer, entre otras, las siguientes preguntas:

1. ¿A nombre de quién está registrado el título de propiedad desde el primero de enero?
2. ¿Hace cuánto es usted residente legal del Estado de Florida?
3. ¿Su automóvil tiene placa de Florida y usted posee la licencia de conducir de Florida?
4. ¿Vivía usted en la vivienda el primero de enero?

Para mayor información visite la página Web del Departamento de Recaudación de Impuestos de Florida, www.myflorida.com/dor.

Se necesitan los siguientes documentos para solicitar la exención:

1. Inscripción en el registro electoral de Florida (si usted vota).
2. Licencia de conducir de Florida.
3. Registro de su automóvil en Florida (si posee uno).
4. Título de Propiedad Registrado.
5. Último pago de servicio eléctrico a su nombre, anterior al primero de enero.
6. Número de Seguro Social (de todos los propietarios, si fuere el caso de más de un propietario).

¿Cómo funciona la exención fiscal para la vivienda principal?

Cada Condado le asigna un valor a las propiedades llamado valor fiscal (assessed value), usualmente inferior al precio de Mercado. Supongamos que la propiedad tiene un valor fiscal de $300.000. El programa de exención sobre vivienda principal le permite deducir $25.000 del valor fiscal. Entonces, el condado le asigna un valor por cada millar, el cual se multiplica por el valor fiscal de la propiedad.

Ejemplo:

US$300.000- valor fiscal

US$25.000 deducción sobre viviendas familiares

US$275.000 valor fiscal ajustado **Exención Sobre Vivienda**

x

.025 valor por millar

US$6,875

US$300.000- valor fiscal

x

.025 valor por millar **SIN EXENCIÓN**

US$7,500

US$7,500-US$6.875=US$625 ahorro

El valor por millar es el valor establecido por el gobierno local para calcular los impuestos sobre propiedad; el cual varía dependiendo de la zona donde está localizado el inmueble; este valor es mayor en la medida que el valor de la zona lo sea.

En el ejemplo anterior, el propietario de la vivienda principal puede reducir el impuesto en US$25.000, ahorrando entre US$500 y US$750 por año dependiendo de la ubicación del inmueble.

La exención fiscal sobre la vivienda principal es un programa que existe en otros estados, pero La Florida parece ser uno de los más generosos; cada estado tiene sus propias leyes con respecto a la elegibilidad. Diríjase al departamento de recaudación de impuestos para informarse acerca de si usted califica o no para este programa.

CAPÍTULO 5 SEGUROS PARA LA PROPIEDAD

Seguro de vivienda

Cada propietario de vivienda debe tener una póliza de seguro que cubra los riesgos del hogar. La pregunta más importante no es, si se tiene o no, una póliza, sino si ésta es la adecuada para cubrir sus eventuales riesgos. Es conveniente precisar información referida, entre otras, a la cobertura de la póliza, sus restricciones, exclusiones y cómo se paga. Hay muchas variaciones y no todo el mundo necesita o tiene el mismo tipo de cobertura.

En todo caso, lo prudente es, reiteramos, suscribir pólizas de seguro que cubran los eventuales riesgos que puedan afectar su inmueble, todo ello con el objeto de prevenirse de las consecuencias que pudieran derivarse de un siniestro no cubierto por una póliza.

Para fijar la cantidad de su prima, la compañía de seguros evaluará, por una parte, la clase de riesgos a los que está expuesto el inmueble, debido a su ubicación, a los materiales de construcción, tiempo de construcción; por otra parte, evaluará su solvencia crediticia, legal, su carga familiar, y su condición laboral. Evaluación que se hace a través de preguntas, tales como:

- Su historial crediticio.
- Si usted tiene antecedentes penales.
- Qué tipo de trabajo realiza.
- Historial de empleos.
- Estado civil.
- Edad.
- Construcción de la vivienda. ¿Es de ladrillos o madera?
- Metros cuadrados.
- Antigüedad de la misma.
- ¿Tiene cerraduras de seguridad, detectores de humo u otras medidas preventivas?
- Mascotas, piscinas u otras causas potenciales de daño personal.

Un corredor de seguros debería tener la capacidad de aconsejarle y ofrecerle la póliza correcta para sus necesidades particulares.

Póliza de seguro estándar sobre riesgos del hogar

Una póliza de seguro estándar sobre riesgos del hogar se divide en cuatro partes principales: Vivienda, Contenido, Responsabilidad y Gastos afines.

- **Vivienda (Dwelling):** cubre el costo de reparación de daños a la propiedad, en caso de que ésta sufra daños físicos debido a un desastre cubierto por el seguro. Su aseguradora pagará por el costo de reparación menos el deducible, el cual usted paga.

Desastres específicos tales como terremotos, inundaciones y huracanes son cubiertos por una póliza distinta. Revise con su corredor para asegurarse de que usted está debidamente asegurado. Para estados como La Florida, donde los huracanes representan un gran riesgo, el daño es cubierto por una póliza distinta llamada *Windstorm*. Los daños ocasionados por los huracanes también pueden ser cubiertos por un seguro de inundación (Flood) si la propiedad es dañada por agua.

Es importante saber que el valor asegurado de la propiedad puede ser más bajo que el precio del mercado; se recomienda asegurar la propiedad por lo que le costaría sustituir la estructura tomando en cuenta los costos actuales de construcción.

Asegúrese de ajustar la cobertura de su seguro en caso de remodelación. Sustituir un baño pasado de moda saldría más barato que remodelarlo no sólo por las partes nuevas y mejoradas, sino por los altos precios de construcción. Llame a su corredor de seguros cuando remodele su vivienda así podrá decidir el precio ajustado del mismo. Nuestra recomendación es que anualmente revise junto con su corredor, la póliza entera, de esta forma puede cerciorarse de que no esté asegurado por un valor menor del que le corresponde.

- **Protección de responsabilidad civil (Liability Protection):** Esta protección cubre acciones legales y gastos médicos en caso de que alguien resulte herido en su propiedad o que usted dañe la propiedad de otra persona.
- **Enseres y menaje (Content or Personal Property):** Se refiere a la cobertura de las pertenencias personales tales como: ropa, mobiliario, cuadros y equipos en caso de un eventual siniestro, robo o extravío por causa de un desastre cubierto por una póliza de seguro. Es recomendable mantener en un sitio seguro un inventario de todas sus pertenencias, con fotos si es posible, y el costo de cada una.
- **Gastos afines (Related expenses):** Cubre gastos como hoteles, alquiler de autos y

otros que surjan mientras la propiedad está siendo reparada.

Por último se aconseja conservar las facturas de compra y los documentos referentes a los seguros, en un lugar seguro, y, si fuere el caso, registre todos los daños.

¿Qué es un deducible?

Los deducibles fijan responsabilidad por el costo inicial de ciertos siniestros respaldados por el seguro. Básicamente, un deducible es la cantidad que debe pagar antes de que la aseguradora interfiera y pague por la pérdida del bien y/o bienes asegurados. El deducible tiene un efecto directo en la cantidad de dinero a pagar por concepto de prima. Entre más alto sea el deducible, es decir mientras más tenga que desembolsar por la eventual ocurrencia de un siniestro, menor será la prima.

¿Qué es el seguro de inundación (Flood Insurance) y cómo funciona?

Es el tipo de seguro que cubre el daño físico a la propiedad causado por una inundación. Es exigido por el gobierno federal para las propiedades localizadas en áreas de riesgo de inundación. No es parte de su seguro de vivienda, es una póliza distinta que debe ser contratada por separado.

Seguro de inundación para condominios

La mayoría de los condominios tienen una póliza principal (Master Policy) que generalmente cubre todas las partes de la propiedad del condominio ubicadas fuera de los apartamentos, tales como: paredes, techo, ascensores, áreas comunes y elementos del edificio. En esta póliza usualmente se incluye el seguro de inundación. Recuerde que esta póliza sólo cubre los elementos comunes del edificio y no sus pertenencias personales, ni responsabilidades causadas por un accidente dentro del apartamento o la estructura, como por ejemplo: superficie del piso y las paredes, techos, instalaciones eléctricas, aparatos o aire acondicionado.

Si habita en una vivienda localizada en un área de inundación debe adquirir el seguro contra inundaciones, lo cual es una obligación legal de carácter federal; a tal efecto, y a objeto de determinar la cobertura y costo de la póliza, es pertinente la asesoría de su corredor de seguros.

Reiteramos la conveniencia para quien viva en un condominio, de revisar el reglamento interno del condominio para verificar la propia cobertura.

Las pólizas de seguro vienen en tres tipos según la forma en que las compañías paguen

- Costo de reparación.
- Costo de reparación garantizado.
- Valor real en efectivo.

¿Cómo funciona el seguro de costo de reparación?

Este tipo de póliza paga la cantidad que cueste reparar la vivienda. Tiene una cantidad máxima de dólares convenida en el momento en el que la póliza se emite. Por esto, determinar la cantidad de cobertura es necesario para asegurarse de que la cantidad es más alta que la de los dólares que costará reparar la vivienda en caso de que haya pérdida total.

¿Cómo funciona el seguro de costo de reparación garantizado?

Esta póliza es similar a la del seguro de costo de reparación porque también paga por la reparación de la casa; sin embargo, difiere en que, por ejemplo, esta póliza no tiene una cantidad de cobertura máxima. Esto proporciona tranquilidad ya que no tendrá que preocuparse por el costo de reparación de la casa.

¿Cómo funciona el seguro del valor real en efectivo?

Este tipo de seguro no garantiza el pago total del costo de reconstrucción de su vivienda; el asegurado recibe el valor de la propiedad que determina la compañía de seguros, incluyendo deducciones por depreciación. Si la póliza de seguro contra riesgos del hogar establece que cubre el valor de la reparación de la propiedad, ésta cubre el valor real en efectivo.

Algunas formas sencillas de reducir sus primas del seguro de vivienda

1. Incremente su deducible. Como propietario usted puede ahorrar dinero si aumenta el deducible de su seguro, el cual es la cantidad pagada antes de que la aseguradora cubra una demanda. Naturalmente ésta es una de las formas más comunes para mantener bajo el costo del seguro. Pero recuerde que un deducible alto es una manera magnífica de ahorrar, mientras tenga el dinero para pagar el deducible cuando sea necesario.
2. Instale un sistema efectivo de alarma. Las compañías de seguro dan descuentos por tener un sistema de alarma.
3. Trate de pagar por su cuenta siniestros menores, en virtud de que los reclamos frecuentes son un determinante para que las compañías de seguros fijen un valor más alto a las prima.

CAPÍTULO 6
IMPUESTOS

En razón de que la materia impositiva es de naturaleza muy compleja y es vital, entre otras, en las transacciones inmobiliarias en los Estados Unidos de Norteamérica, se recomienda consultar a un especialista en el área; es por ello, que los comentarios que ofrecemos de seguida, sólo tienen como propósito ilustrar un poco al interesado y advertirle de las previsiones que, en este sentido, deben tomarse.

Cabe observar que los planes gubernamentales de vivienda en los Estados Unidos de Norteamérica, en virtud de que su propósito es el de favorecer la adquisición de las mismas, ofrecen ventajas impositivas a sus propietarios; siendo algunas de ellas, las siguientes:

Exención sobre las Ganancias de Capital por Domicilio Principal

De acuerdo con el Código Tributario 121, las personas que poseen una vivienda y residen en la misma durante dos años dentro de un período de cinco años, tienen derecho a una exoneración de impuesto sobre la ganancia capital de hasta US$250.000 ó hasta US$500.000 en caso de que sea una pareja casada haciendo la solicitud en conjunto al vender la propiedad. Esto significa que si usted vende su residencia principal no tendrá que pagar impuestos sobre ganancia capital hasta un monto US$250.000 si es soltero, y el doble si es casado. Aún mejor, no hay ninguna restricción con respecto al uso que usted le puede dar a ese dinero; es un dinero libre de impuestos. Además, no hay restricción en el número de veces que puede disfrutar de la exoneración sobre la venta de viviendas. En la mayoría de los casos, usted se puede beneficiar de esta exoneración de impuestos cada vez que venda una propiedad. Sin embargo, hay algunas restricciones, tales como:

La propiedad que usted venda debe ser su residencia principal. Esta ley no es aplicable a cualquier otro tipo de propiedad, como casas vacacionales o una casa comprada como inversión. No obstante, usted puede convertir una propiedad arrendada en su residencia principal y de esa manera hacerla elegible para esta exoneración. Puede aprovechar esta norma si cumple con el uso de la propiedad establecido por el Servicio de Ingresos Internos (IRS), el cual especifica lo siguiente:

- Debe poseer y vivir en la propiedad por dos años, aunque no necesariamente años consecutivos, pero si dentro de un período de cinco años antes de la venta.

- A los fines de que la norma sea aplicable, no es necesario que viva en la casa durante dos años consecutivos. Puede vivir en la propiedad por un año, luego mudarse y vivir en otro lugar durante un año. Siempre que viva en la propiedad durante dos años dentro de un período de cinco años, usted califica para la exoneración. No es necesario que viva allí al momento de la venta.
- Cada venta debe hacerse con un período intermedio de dos años.

¿Qué ocurre en el caso de parejas casadas?

Las parejas casadas pueden deducir el doble, es decir US$500.000, siempre que uno de los miembros de la pareja cumpla con los requerimientos arriba mencionados. No importa si se casaron dos meses antes, en caso de que decidan vender y si los requisitos se cumplen, pueden exonerarse de pagar impuestos hasta un monto de US$500.000 sobre las ganancias de capital. Sin embargo, la pareja debe hacer su declaración fiscal en conjunto para poder solicitar la exoneración.

Existe otra limitación: Si uno de los miembros de la pareja utilizó la exoneración de impuestos dentro de los dos años previos a la venta, la pareja no podrá solicitar la exención.

¿Cómo calcular su ganancia?

1. Calcule el costo base de la propiedad. Necesita saber esto para poder calcular cualquier ganancia o pérdida cuando la venda. Comience por el precio de compra, digamos por ejemplo US$300.000. El costo base está determinado por la cantidad que pagó por la vivienda. Es el costo de cuando la compró o construyó. Si la adquirió de cualquier otra forma (herencia, regalo, etc.), el costo base sería su valor razonable para el momento en que la adquirió o el costo base ajustado que pagó la persona de la cual la adquirió. El costo base de su propiedad aumenta con las adiciones y mejoras a la misma que tengan una vida útil de más de un año.

2. Deduzca el costo base del monto que recibirá por la venta, después de restar las comisiones, los gastos administrativos y cualquier otro gasto. El resultado será su ganancia de capital. Si usted es soltero y el resultado es de $250.000 o menos, no paga impuestos. Si está casado y

su ganancia es de $500.000 o menos, tampoco paga impuestos.

Por ejemplo:

a. Comience por el precio de compra, digamos US$300.000.
b. Sume los gastos administrativos incluyendo tarifas de registro, proceso, comisión por emisión del préstamo, póliza del titulo de propiedad, etc. Supongamos que en total son unos US$10.000. Consulte a su contador qué otros gastos son deducibles.
c. Una vez que ha calculado el costo base inicial, necesitará determinar el costo base ajustado, el cual incluye cualquier mejora permanente que aumente el valor de la vivienda, como por ejemplo una cocina nueva, un techo nuevo, una piscina u otra habitación. Supongamos que las mejoras tienen un valor de US$20.000.

Hemos determinado que el costo de compra de la propiedad es de US$330.000.

Ahora calcularemos la ganancia:

a. Comience por el precio de venta (digamos que es de US$450.000).
b. Deduzca las comisiones, gastos administrativos y otros gastos relacionados con la venta de la

vivienda, la publicidad, mercadeo y otros gastos que implica mostrar la propiedad (digamos unos US$30.000).

Su ganancia sería de US$450.000 (monto de la venta) menos US$330.000 (costo base ajustado) - US$30.000 (gastos de la venta).

Su ganancia total sería de US$90.000.

Consulte la página Web del IRS: www.irs.gov/publications/p523/ar02.html#d0e890 para obtener mayor información sobre cómo determinar su costo base para fines fiscales.

Casos especiales

En algunos casos, aún cuando no cumpla todos los requisitos para la exoneración usted puede solicitar una exoneración parcial.

Si vende su casa debido a una situación especial, como por ejemplo, cambio de empleo o enfermedad, usted puede solicitar una ganancia prorrateada libre de impuestos. Consulte a su contador para saber si es elegible en este caso.

Otros incentivos fiscales que ofrece el gobierno a las personas que adquieren viviendas incluyen:

El interés pagado por hipoteca es deducible de impuestos. Si usted detalla sus deducciones, el interés que paga sobre una hipoteca es deducible de impuestos.

Los puntos pagados al emitir un préstamo hipotecario al comprar la vivienda son frecuentemente deducibles de impuestos: usualmente, si usted paga puntos para bajar su tasa de interés al comprar una propiedad, éstos son deducibles.

Impuestos sobre bienes inmuebles: Los impuestos que usted paga por la propiedad a lo largo del año también son usualmente deducibles de impuestos.

Insistimos en que estas consideraciones no deben ser tomadas como sustituto de la asesoría de un contador. Visite la página Web del IRS para mayor información.

Recalcamos que en razón de que la materia impositiva es de naturaleza muy compleja y es vital, entre otras, en las transacciones inmobiliarias en los Estados Unidos de Norteamérica, se recomienda enormemente consultar a un especialista en el área; es por ello, que los comentarios que ofrecemos de seguida, sólo tienen como propósito ilustrar un poco al interesado y advertirle de algunas previsiones que, en este sentido, deben tomarse.

CAPÍTULO 7
CONDOMINIOS

Por definición, un condominio es un desarrollo planificado, residencial o comercial, en el cual la persona posee la propiedad individual de una unidad del mismo y comparte la propiedad de elementos comunes, tales como las aceras, pasillos, piscinas y canchas de tenis. El propietario de una unidad de condominio posee sólo el área representada por las paredes, el piso y el techo, y todo lo que esté dentro de la misma, incluyendo electrodomésticos, accesorios y gabinetes. El propietario paga impuestos a la propiedad sobre la base del valor de la unidad y una porción a prorrata de las áreas comunes.

Los condominios son administrados y operados por asociaciones compuestas por los propietarios o por una compañía de administración. La asociación es una corporación que puede, en nombre de los propietarios, firmar contratos, demandar, ser demandada y puede determinar las contribuciones a pagar por cada unidad para cubrir los gastos comunes. La asociación de condominio tiene la autoridad para establecer gran parte de sus propias normas operativas. Cada asociación tiene diferentes conjuntos de reglamentos. Antes de firmar un contrato de compra de una unidad de condominio, asegúrese de que entiende todas las normas.

Tomando en cuenta que cada asociación de condominio es diferente, sería imposible enumerar todas las normas que son aplicables para cada una; sin embargo, a continuación enumeramos las normas y restricciones más comunes.

Restricciones comunes de condominios:

Mascotas: Muchos condominios no aceptan mascotas o pueden establecer restricciones de peso; por ejemplo, algunos condominios permiten mascotas de hasta 20 libras y pueden tener restricciones con respecto a cómo debe sacarlas de la unidad. Usualmente, tendrá que cargarlas en los pasillos y en el ascensor hasta que salga del edificio. Si usted es un amante de las mascotas, tiene una o planea tener una, asegúrese de que entiende las normas sobre las mismas. Se han visto muchos casos en los que el comprador ha pasado por el largo proceso de firmar el contrato, arreglar financiamientos, inspecciones, dar un depósito de garantía, etc., para después darse cuenta de que no se permiten animales en el edificio.

Arrendamiento: Muchos propietarios de condominios son inversionistas o lo que se denomina "propietarios ausentes", es decir, que no viven en la unidad la mayoría del tiempo, sólo la usan durante el verano o como una casa vacacional. Algunos de estos propietarios pueden decidir arrendar la unidad mientras están ausentes; sin embargo, muchos condominios tienen límites con respecto al número de veces que el propietario puede arrendar una unidad durante un año calendario. Si usted es un inversionista o un propietario ausente y planea arrendar su unidad para obtener un ingreso extra, asegúrese de que la asociación se lo permite y considere los términos de las restricciones, de lo contrario usted pudiera ver frustrada su expectativa de un ingreso proveniente de un eventual arrendamiento a un tercero.

Reventa: La mayoría de las asociaciones se reservan el derecho de aprobar un nuevo propietario; éstas tienen el derecho preferencial de compra. Si una asociación no aprueba al comprador, usted no podrá vender el condominio. Si usted es un comprador o vendedor obtenga información acerca de qué restricciones, si las hubiere, aplican. Se conoce de transacciones retrasadas e inclusive canceladas por esta razón.

Frecuentemente, se lleva a cabo un proceso en el que el comprador introduce su solicitud en la asociación. Ese proceso consiste, la mayoría de las veces, en una revisión de los antecedentes penales, un cuestionario, una tarifa que se paga por el proceso y una entrevista con uno o más miembros de la junta directiva de la misma; muchas veces el proceso es sólo una formalidad y el comprador es aprobado; no obstante, debe ser planificado con anterioridad. La compra no se completará hasta que la asociación pase su aprobación final por escrito.

Restricción del estacionamiento: En este orden de ideas, nos permitimos compartir una experiencia de nuestra firma, según la cual una transacción no pudo celebrarse en un condominio en Weston, Florida, en virtud de que el potencial comprador tenía por vehículo una camioneta pick-up, razón esta suficiente para que la asociación del condominio negara la aprobación, bajo el argumento de que ese tipo de vehículo era comercial, lo cual estaba prohibido por el respectivo reglamento interno del condominio.

Restricción de edad: Algunos condominios no permiten niños o establecen restricciones de edad; otros son sólo para personas mayores de 55 años.

En Florida y otros estados, una vez que el desarrollo ha sido 80% vendido, debe ser dejado en manos de los propietarios de las unidades, quienes eligen los miembros de la nueva asociación y de la junta. Esta nueva junta, junto con sus funcionarios, establecerá las nuevas normas con respecto a las mascotas, reglamento del estacionamiento, etc.

Es esencial comprender que la mayoría de las asociaciones o condominios están bien conducidos, en el sentido que sus actuaciones se orientan de conformidad con lo dispuesto en los instrumentos legales aplicables; de allí, la pertinencia de que familiarizarse con la normativa, su historia y saber quiénes conforman la junta del mismo.

Los condominios no son adecuados para todos pero son una opción excelente para muchas personas. Sólo tenga en cuenta dónde compra y asegúrese de que comprende las normas.

Si está trabajando con un corredor de bienes raíces, éste deberá ser capaz de redactar un contrato tomando en cuenta todas las normas y asegurándose de escribirlas de modo que sea ventajoso para usted. Su contrato deberá incluir siempre una cláusula de contingencia en donde el vendedor le indique los estatutos de la asociación, de manera que usted pueda leerla cuidadosamente. Generalmente, usted tiene tres días para leer el documento. Si por cualquier razón no está de acuerdo con cualquiera de los estatutos, usted puede cancelar el contrato.

Una vez que compra el apartamento, asegúrese de conservar una copia de estos documentos porque las asociaciones cobran entre US$60 y US$150 por copia. La necesitará cuando venda la propiedad.

Casa vs. Condominio

La principal diferencia entre ambas es que una casa se mantiene por sí sola, es una unidad de vivienda independiente. Por otro lado, un condominio está unido a otras unidades similares por paredes y áreas comunes.

Propiedad: Cuando usted posee una casa, una vivienda unifamiliar, el derecho que tiene es una propiedad exclusiva: usted es el propietario único del terreno y de la edificación construida sobre él. Cuando usted posee un condominio o vivienda multifamiliar, usted es el propietario del espacio dentro de su unidad y tiene un derecho sobre las áreas comunes.

Remodelación o cambios: Los propietarios de viviendas unifamiliares a los fines de remodelar su inmueble, sólo tienen las limitaciones que imponga el condado correspondiente; por su parte, las remodelaciones que pretendan los propietarios de condominios, **dentro o fuera de su unidad**, están sujetas a la aprobación de la correspondiente asociación de condominio.

Mantenimiento Otra diferencia yace en el mantenimiento de la propiedad. El propietario de una vivienda unifamiliar debe mantenerla por su cuenta. En un condominio, usted paga tarifas mensuales para el mantenimiento de las áreas comunes, como la piscina, el jardín, el gimnasio, el estacionamiento, el lobby, etc. Sus pagos también cubren gastos, tales como, tarifas administrativas, seguro y otros gastos, dependiendo del condominio.

CAPÍTULO 8 COMPRADORES EXTRANJEROS

¿Es usted un comprador no residente o sin historial de crédito?

Para usted también hay soluciones muy favorables

De conformidad con la legislación norteamericana y en particular la del Estado de La Florida, una persona no residente y sin historial de crédito, puede perfectamente realizar transacciones de compra-venta de inmuebles. La diferencia entre los residentes con historial de crédito y los no residentes sin historial de crédito, reside en los términos en que tales transacciones puedan realizarse; los cuales están fundamentalmente referidos a las iniciales (down payment) y a las tasas de interés, por lo general más altos, que exigen las instituciones crediticias para el otorgamiento de los créditos que estas personas puedan solicitarles.

Sin embargo, hay una enorme gama de opciones financieras para compradores internacionales, las cuales les pueden ser más o menos favorables, según sea quien realice la transacción, una persona natural o una persona jurídica. De entre esas gamas de opciones pueden destacarse, entre otras, las relativas al plazo para el pago de la eventual hipoteca, el cual puede oscilar entre 15 años y 30 años; a la fijación de intereses variables o fijos etc... Estas constituyen algunas de las razones por las cuales advertimos sobre la conveniencia de contratar la asesoría de profesionales inmobiliarios y de abogados capaces y honestos; su conocimiento de todos los aspectos involucrados en la actividad inmobiliaria, permite determinar, entre otros aspectos, cuándo resulta más pertinente actuar como persona natural o cuándo, como persona jurídica; así como evaluar las posibilidades del mercado en cuanto a la revalorización de inmueble que se pretenda comprar o vender.

¿Qué es la FIRPTA?

FIRPTA son las siglas en ingles de la Ley de Impuestos sobre Inversión Extranjera en Bienes Raíces de 1980.

¿De qué manera afecta la FIRPTA?

La FIRPTA afecta a cualquier individuo extranjero no residente, a compañías extranjeras no consideradas corporaciones nacionales, o a las sociedades, fideicomisos y propiedades extranjeras.

Cuando una persona extranjera no residente o una corporación o sociedad extranjera vende una propiedad dentro de los Estados Unidos, la misma estará sujeta a las disposiciones de la FIRPTA, que incluye, entre otras cosas, una retención del 10% del precio de venta neto de una propiedad. Por ejemplo, un ciudadano o residente de otro país vende su casa por US$350.000. El agente de cierre de la transacción (compañía o abogado que tramita el título) retendrá US$35.000 en una cuenta especial llamada depósito en custodia (escrow account), hasta que el vendedor extranjero presente su declaración de impuestos sobre ingresos en enero del año calendario siguiente al cierre de la venta.

Es muy importante dar la atención y planificación adecuadas a este asunto, de manera que no haya sorpresas negativas a la hora del cierre.

Las disposiciones de la FIRPTA son complicadas y requieren la pericia de un abogado de bienes raíces o un contador público que pueda llenar las solicitudes adecuadas y evaluar las implicaciones potenciales de la FIRPTA. Su agente inmobiliario debe ser capaz de explicar en términos generales de lo que se trata esta ley, y referirlo a un especialista, tal como un contador o abogado especializado en la materia.

¿Por qué un vendedor extranjero está sujeto a la FIRPTA?

Básicamente, el Congreso de los Estados Unidos aprobó esta ley para hacer las transacciones de bienes raíces igualmente favorables para los inversionistas de Estados Unidos y los inversionistas extranjeros. Anteriormente, los vendedores extranjeros se beneficiaban más que un ciudadano o residente de EEUU, porque a éste no se le exigía el pago de impuestos sobre una propiedad. Esta situación no sólo aumentaba la ganancia sobre la inversión de los extranjeros, sino que también le daba a estos últimos la ventaja de hacer ofertas más atractivas para un comprador, debido a los grandes ahorros en materia de impuesto.

Después de que el Congreso aprobó la FIRPTA, tanto extranjeros como residentes pagan impuestos sobre la ganancia proveniente de la venta de una propiedad.

¿Por qué se retiene el 10 por ciento?

Este es el porcentaje fijado por el gobierno para satisfacer la potencial obligación tributaria; se advierte que la obligación tributaria real no se conoce al momento de cierre de la venta; de allí que en muchas ocasiones ese diez por ciento (10%) excede la obligación tributaria, en cuyo caso el vendedor recibe un reembolso después de presentar la documentación apropiada.

¿Cómo calculo la ganancia?

Ver la tabla de impuestos (Capitulo de impuestos)

La ganancia es la diferencia entre lo que costó inicialmente el inmueble (incluyendo, pero no limitándose a: mejoras de la vivienda, comisiones de venta, gastos administrativos de la venta, cargos bancarios, gastos relacionados con la emisión del préstamo, etc.) y el precio de venta.

¿Cómo funciona la FIRPTA?

En términos generales esta ley funciona de la siguiente manera:

- De conformidad con la FIRPTA, el comprador DEBE retener el 10 por ciento del precio de venta neto en el momento del cierre.
- El comprador envía el monto retenido al IRS dentro de los 20 días siguientes al cierre de la venta. El comprador es el responsable de retener los impuestos y es punible en caso de no cumplir con la retención. Usualmente, el agente de cierre, ya sea una compañía o abogado que tramita el título, que representa al comprador de la transacción cobra la retención del 10 por ciento de la venta neta. Sin embargo, si el comprador no está representado por ninguna compañía o abogado, éste será el único responsable por el cobro del 10 por ciento.
- El vendedor puede llenar una planilla 8288-B del IRS para solicitar un reembolso anticipado o la exención de la retención si la obligación tributaria es menor de 10 por ciento. La planilla 8288-B certifica ante

el IRS que la obligación tributaria real es menor que la retención del 10 por ciento. Mientras más rápido llene la planilla y la envíe al IRS, más rápida será la aprobación o rechazo de la petición. El IRS se toma hasta 90 días para responder, por lo que es conveniente para el vendedor hacer la solicitud lo antes posible.

- Aunque el vendedor suministre al comprador o al agente del comprador evidencia de que ya hizo la solicitud con la planilla 8288-B al momento del cierre, el agente deberá retener el dinero, pero no tendrá que enviarlo al IRS. El agente colocará los fondos en una cuenta de depósito en custodia (escrow account) hasta que reciba el comprobante de aprobación o rechazo de la solicitud; en caso de ser aprobada, el agente del comprador devolverá los fondos.

En razón de que esta ley es de naturaleza muy compleja y es vital, se recomienda consultar a un especialista en el área; es por ello, que los comentarios que ofrecemos, sólo tienen como propósito ilustrar un poco al interesado y advertirle de las previsiones que, en este sentido, deben tomarse.

El siguiente ejemplo práctico ayudará a comprender mejor esta disposición legal:

Supongamos que el Sr. Pérez, un ciudadano extranjero, vendió su casa en enero de 2004 por US$500.000 a la Sra. Shapiro. En este caso, el agente de cierre de la compradora retiene US$50.000 del monto correspondiente al Sr. Smith y lo envía al IRS dentro de los 20 días siguientes al cierre.

Si la obligación tributaria es menor de US$50.000, el Sr. Pérez tiene derecho a un reembolso. A los fines de recibir su reembolso, el Sr. Smith tiene que llenar su declaración de impuestos del 2004, de modo que tendrá que esperar hasta el año 2005 para recibirlo.

Para evitar esta situación y prevenir un exceso en la retención, el Sr. Smith puede llenar una solicitud del certificado de retención al IRS antes del cierre de la venta, es decir, la planilla 8288-B enviada al IRS. Cuanto antes mejor, ya que el IRS se toma hasta 90 días para responder y aprobar o rechazar la petición.

En caso de que el IRS apruebe un monto menor de retención, el agente de cierre del comprador deberá enviar el monto correspondiente al IRS y el remanente al vendedor. Cuando la venta se hace a final de año (octubre, noviembre o diciembre), no es necesario llenar la 8288-B.

Consejo para los agentes de bienes raíces.

Asegúrese de que entiende esta ley claramente e informe adecuadamente a sus clientes sobre la misma.

La mayoría de los propietarios extranjeros desconocen los requerimientos de retención y de la FIRPTA.

La retención de conformidad con la FIRPTA puede afectar seriamente el cierre de la venta, especialmente si las ganancias de la misma son marginales. Usted puede evitar esta situación, si planifica con suficiente tiempo. Su contador o abogado en asuntos fiscales puede introducir una solicitud de certificado de retención en el IRS antes del cierre, tomando en cuenta que el IRS puede tomar hasta 90 días para responder.

Si el vendedor puede comprobar ante el comprador o ante el agente de cierre que ha solicitado un certificado de retención, la retención del 10% puede ser dispensada.

Antes de solicitar un certificado de retención 8288-B, el vendedor debe obtener primero el número de identificación del contribuyente (TIN por sus siglas en inglés), el cual es similar al número de Seguro Social, pero para extranjeros. Un individuo extranjero obtiene el TIN mediante la presentación de la planilla W-7 ante el IRS. Las compañías introducen una planilla distinta (la SS-4). El solicitante debe incluir una copia de su pasaporte, o acta de nacimiento y la licencia de conducir. Consulte con un profesional o visite la página Web del IRS www.**irs**.gov para mayor información sobre los documentos aceptables y si necesitan ser notariados o certificados por el país o la embajada del vendedor. La obtención del TIN puede demorarse hasta 90 días. En resumen, siempre remita su cliente a un consultor profesional, como por ejemplo un abogado en asuntos fiscales o un contador público para que lo oriente con respecto a la FIRPTA. Trate el asunto con el mayor tiempo posible, incluso antes de ofrecer la propiedad en venta. La FIRPTA puede tener ramificaciones que pueden afectar de forma adversa la venta de la propiedad, si no es manejada adecuadamente.

Las exenciones incluyen:

- El vendedor de la propiedad certifica y suministra un affidávit declarando que no es un ciudadano extranjero.
- Cuando el comprador planee usar la propiedad como residencia principal, y viva en la misma durante mínimo el 50% del tiempo durante los primeros 12 meses, y el precio de compra sea inferior a US$300.000.

Hay otras exenciones en la FIRPTA; sin embargo, sería imposible enumerarlas todas. Sugerimos enfáticamente que consulte a un profesional cuando se trate de un vendedor extranjero.

IMPORTANTE

Como extranjero no residente también puede aprovechar la exención de impuestos sobre ganancias de capital para solteros y parejas casadas. Esto significa que usted puede evitar el pago de hasta US$250.000 por concepto de impuestos sobre ganancias de capital si es soltero, o de US$500.000 si está casado.

Para fines tributarios usted es considerado un residente, aún cuando no se le considere como tal para fines de inmigración. Usted debe cumplir con una prueba denominada "prueba de presencia sustancial". Los requerimientos son los siguientes:

- Debe haber estado físicamente en Estados Unidos durante un mínimo de 31 días durante el año en curso.
- 183 días durante un período de 3 años que incluye el año en curso (cuente los días en los que estuvo en Estados Unidos durante el año, y un tercio de los días en que estuvo presente durante el primer año anterior al año en curso, y un sexto de los días en los que estuvo presente durante el segundo año anterior al año en curso y los dos años inmediatamente anteriores.
- No tome en cuenta los días que estuvo en Estados Unidos por escala hacia otro país.

Esta norma no es aplicable si usted ha solicitado el cambio a residente permanente legal de los Estados Unidos, o si tiene una solicitud pendiente para ajustar su estatus.

Para mayor información visite www.irs.gov.

Le recomendamos hablar con su contador con respecto a estos asuntos antes de tomar una decisión.

CAPÍTULO 9 VERDADES Y MITOS SOBRE LA INVERSIÓN EN PRE-VENTA EN EL SUR DE LA FLORIDA

Muchos inversionistas ganaron grandes cantidades de dinero en la compra y venta de desarrollos en pre-venta, especialmente a finales de los 90. Puede ser una inversión muy lucrativa, pero se debe actuar con precaución. La mayoría de nuestros clientes ganaron mucho dinero invirtiendo en áreas como Brickell Key, Doral, Aventura, Downtown Miami y Miami Beach.

Actualmente, los agentes inmobiliarios ofrecen muchísimas inversiones en pre-venta sin informar a los clientes sobre los riesgos financieros que conllevan. Reiteramos, conforme a nuestra experiencia, que las inversiones en pre-venta pueden generar mucho dinero, pero estas inversiones no son para todo el mundo.

En el mercado actual, los desarrollos de condominio se venden en pocas semanas o días. Nos preguntamos ¿existe una demanda real o se trata de una demanda artificial, creada por inversionistas especulativos? Comprar un desarrollo en pre-venta no es tan sencillo como comprar barato y vender caro; es por ello que es fundamental manejar suficiente información relativa a las transacciones inmobiliarias en los Estados Unidos de Norteamérica, antes de proceder a comprar.

Los desarrollos en pre-venta se venden generalmente por etapas. En teoría, la propiedad será más económica si se compra lo antes posible. La mejor etapa para comprar es la primera, llamada reservación. Durante el período de reservación, no puede comprar una unidad específica, sólo tiene la opción de comprar la unidad que le asigne el promotor una vez estimada la demanda para el proyecto. El promotor solicita un depósito de entre 2.500 dólares y 20.000 dólares, dependiendo del precio promedio del condominio. A veces, el porcentaje del precio de la compra es de 10 por ciento.

El promotor usa el período de reservación para "probar el mercado" y determinar la demanda de la propiedad.

Cuando un proyecto tiene mucha demanda, las reservaciones se venden a las pocas horas de haber sido ofrecido el proyecto. Es muy difícil comprar durante este período, a menos que usted tenga un agente inmobiliario con contactos que lo represente, es decir, un agente que tiene contactos para reservar la unidad en su nombre. Nuestra Firma Ioxus Properties,

LLC cuenta con corredores experimentados los cuales pueden conseguir proyectos en pre-venta antes de salir a mercado a la venta.

Un punto positivo del período de reservación es que si por cualquier motivo usted decide no comprar su opción, su dinero será devuelto en un 100%.

Una vez terminado el período de reservación, generalmente tres o cuatro meses después de haber reservado la propiedad, y decide comprar la unidad, el promotor escribirá un contrato que usted deberá firmar y que incluye todos los términos y condiciones de la compra.

De conformidad con las leyes de La Florida, usted dispondrá de 15 días hábiles para revisar el contrato y cancelarlo si lo desea. Le sugerimos contratar un abogado para que le explique más detalladamente todos los términos y condiciones; es una inversión pequeña tomando en cuenta los riesgos implícitos.

Tipos de estrategias en la inversión en pre-venta

Básicamente existen dos maneras de ganar dinero en la compra de pre-ventas:

1. Venta anticipada (Flipping).
2. Período de retención (Holding Period).

Venta anticipada (Flipping)

El principal objetivo de invertir en desarrollos en pre-venta es comprar de manera anticipada para buscar la revalorización del inmueble antes de la culminación del proyecto. Es decir, vender antes de terminar el proyecto. Un inversionista deposita entre cinco (5%) y veinte (20%) del valor de la propiedad cuando se firma el contrato, luego vende la unidad en los próximos 18 a 24 meses justo antes de terminar el proyecto, cuando la propiedad ha sido revalorizada. Por ejemplo, usted compra un condominio a un precio de 250.000 dólares en enero de 2005 y 18 meses más tarde, justo antes de concluir el proyecto, el condominio se revaloriza en 300.000 dólares. Cede el contrato al comprador, lo vende en 300.000 dólares y obtiene así un beneficio de 50.000 dólares, menos los gastos por comisión y cierre de la venta. Esto es lo que se llama venta anticipada (Flipping).

Para que funcione la estrategia de venta anticipada, existen dos requisitos:

1. Una autorización escrita por parte del promotor que le permita ceder la unidad a la persona interesada en comprar su propiedad. Hoy en día, cada vez menos promotores le permiten a los compradores ceder su contrato a menos que el proyecto haya sido vendido en su totalidad. El promotor se rehúsa porque no quiere competir con usted, es decir, quiere que se venda primero su unidad. Por lo tanto, es difícil lograr que el promotor autorice la cesión.
2. Debe encontrar a alguien dispuesto y capaz de pagar lo que usted pide. En la actualidad, muchos inversionistas están entrando al mercado. Si

compra un proyecto en pre-venta, probablemente se dará cuenta de que de una construcción de 300 unidades, 30% a 40% de los compradores son inversionistas que están tratando de vender sus unidades antes de terminar la construcción. Esta situación genera mucha oferta. A menudo observamos que cuando faltan pocos meses para terminar un proyecto, algunos inversionistas se desesperan por vender porque no tienen los medios para mantener la unidad (el costo es demasiado alto para ellos), y por lo tanto se ven obligados a vender a bajo precio en algunos casos perdiendo dinero. Cuando ocurre esta situación, un inversionista prudente decide cerrar su unidad y retenerla durante 12-18 meses aproximadamente, de manera que los inversionistas desesperados vendan sus unidades y que su propiedad se revalorice. En este punto, debe usar la estrategia del período de retención de la unidad con el fin de ganar dinero.

El período de retención

Esta es la estrategia que yo personalmente uso hoy en día y que ha funcionado perfectamente para mis clientes.

Como se dijo anteriormente, en los años 90 existían muchas oportunidades para ganar dinero en desarrollos de pre-venta usando la estrategia de venta anticipada (Flipping).

En los actuales momentos, la venta anticipada es casi imposible. Aún creemos en las inversiones de pre-venta pero con un enfoque o estrategia distintos. Esto es lo que llamamos "período de retención (Holding Period)".

Esta estrategia la denominamos "período de retención" porque una vez que su unidad esté lista para ser ocupada, usted debería conservarla o retenerla por un año como mínimo para generar ganancias; ella funciona de la siguiente manera:

Lo primero que debe hacer es depositar el anticipo requerido por el promotor. Luego, si no va a pagar de contado, aproximadamente dos meses antes de terminar el proyecto, trate de conseguir un financiamiento. Luego cierre la unidad y arriéndela durante un período de 12 a 18 meses. Esto permitirá que otros inversionistas salgan del mercado y por lo tanto habrá menos competencia. Mientras menos unidades similares a la suya estén a la venta, tendrá más oportunidades de vender a mejor precio. No solamente habrá menos unidades en el mercado, sino que se espera que los precios de las unidades similares hayan aumentado.

Los tres problemas de esta estrategia son los siguientes:

1. Necesita una buena suma de dinero para cubrir los gastos durante 12 a 18 meses usualmente con un flujo de caja negativo.

2. Debe tener dinero para pagar los gastos relacionados con la obtención del préstamo.
3. El tiempo estimado de su inversión se extiende de dos a tres años y medio.

Si dispone del dinero para cubrir los gastos y tiene tiempo suficiente para esperar, los desarrollos en pre-venta pueden ser muy buenas inversiones para usted.

10 características básicas de los contratos en pre-venta

En nuestra Firma Ioxus Properties, hemos vendido muchos desarrollos en pre-venta en el pasado y aunque cada uno de estos contratos es diferente, la mayoría comprende cláusulas similares.

Contrato Unilateral

Es llamado unilateral porque el contrato es escrito por el promotor (Developer), y el comprador no puede hacer ningún cambio. El promotor es el que establece todas las reglas.

Período de Recesión

Según la ley de La Florida, el comprador de un condominio en proyecto de pre-venta tiene 15 días para cancelar el contrato. Este período le permite revisar las cláusulas en caso de no estar de acuerdo.

No es transferible

Los contratos se venden a su nombre o a una compañía en la cual usted sea dueño del 100%

de las acciones y no puede revenderlo o cederlo a una tercera parte sin el consentimiento del promotor.

20 por ciento de inicial

La mayoría de los desarrollos en pre-venta requieren un depósito de un 20 por ciento; 10 por cierto en el momento de firmar del contrato y 10 por ciento dentro de 60 a 90 días después del primer depósito.

No hay contingencia de financiamiento

Cuando compra una propiedad usada (revendida), generalmente su agente inmobiliario incluye una cláusula en el contrato que afirma que en el caso de que usted no califique para el financiamiento, el contrato será inválido y su depósito será reembolsado. En las ventas de pre-venta, el contrato se redacta como un "trato al contado"(Cash Deal), lo cual significa que si al momento de terminar el proyecto usted no dispone del financiamiento o del dinero para pagar la propiedad, pierde automáticamente su depósito (generalmente un 20 por ciento). En caso de incumplir con el contrato (porque no se otorga el financiamiento o por cualquier motivo), el promotor notificará ese incumplimiento por escrito. Luego tendrá siete días para reparar el incumplimiento. Si no lo puede hacer, el promotor tendrá derecho a disponer de su depósito.

Gastos del promotor (Developer) en el cierre del contrato

Es un honorario impuesto por el promotor para cubrir sus gastos de cierre del contrato. Incluye el registro de los requisitos, las estampillas de documentación en el traspaso, otros costos de transferencia y el título de la póliza de seguros del propietario. A menudo, este honorario varía entre 1,25 y 1,75 por ciento del precio de venta.

Tiempo estimado

Numerosos proyectos se construyen durante los dos años después de que el comprador haya firmado el contrato de compra, dependiendo en qué fase de construcción estaba el proyecto en el momento de su compra.

Como se dijo anteriormente, muchas personas han ganado grandes cantidades de dinero invirtiendo en los proyectos de pre-venta y vendiendo de manera anticipada la propiedad antes de que se haya terminado la construcción. Sin embargo, con el aumento del número de construcciones, de las ofertas propiedades y de todos los inversionistas que usan esa estrategia, la compra anticipada o "Flipping" se ha convertido en una operación muy difícil de realizar. Ahora, cuando se ofrece por primera vez un buen proyecto al público, inmediatamente se precipitan olas de inversionistas. Los proyectos en pre-venta se pueden vender en pocos meses o incluso en pocas semanas; hemos visto la venta de proyectos en pocas horas. Muchos de esos compradores, con intenciones de sacar provecho en el boom de la pre-venta, no pretenden o no tienen dinero para pagar la unidad en el momento requerido. Dos años más tarde, cuando las unidades están listas para el cierre, muchos no tienen el dinero o el financiamiento para comprar y mantener la propiedad; en consecuencia, se ven obligados a venderla al precio que la compraron o incluso a un precio más bajo, lo que provoca la pérdida de grandes sumas de dinero.

Recomendaciones para la comprar de una unidad en un desarrollo en pre-venta.

Asegúrese de haber investigado cualquier proyecto antes de comprar, porque no todos son iguales; algunos otorgan mayor rendimiento que otros, y algunos son más riesgosos.

Infórmese acerca de quién es el promotor (Developer), cuál es su expediente, cuántos proyectos ha hecho y si los termina a tiempo; él debería ser capaz de responder a estas preguntas y muchas otras antes de que usted invierta en un proyecto en pre-venta.

Los agentes inmobiliarios son una buena fuente de información: generalmente están al corriente de lo que sucede en el mercado; su asesoría puede ser determinante en el logro de una transacción exitosa.

La siguiente lista es usada por nuestros corredores en Ioxus Properties. Esta le ayudara a tener un concepto más claro del proyecto en consideración y cuales son las preguntas adecuadas para hacer al vendedor o corredor inmobiliario.

IOXUS PROPERTIES

Cuestionario de Pre-Construcción

- Nombre del Promotor
- Rango de Precios
- Precio por pie cuadrado
- Depósito (Inicial)
- Pies cuadrados internos y pies cuadrados externos de la unidad
- Descripción de Interiores (Cocina, pisos, Baños, Closets, mejoras/upgrades)
- Cuándo, comienza la construccion,Cuándo la terminan, Cuándo entregan la unidad.
- Costo de Mantenimiento (Administración)
- Impuestos
- Costos impuestos por el promotor (Developer Fee)
- Total de unidades en el complejo
- Maletero
- Número de puestos de estacionamiento
- Es el contrato transferible?
- Restricciones de arrendamiento o alquiler.
- Restricciones de reventa
- Proyectos en las cercanías y en qué etapa de construcción se encuentran
- Precio de proyectos cercanos.
- Otros

CAPÍTULO 10
VENDER SU VIVIENDA

Vender una vivienda al mejor precio y en corto tiempo es un asunto complicado. Sugerimos como primer paso dar respuesta a las siguientes interrogantes:

- ¿Por qué está vendiendo?
- ¿Cuánto dinero espera obtener por la venta de la propiedad?
- ¿Cuándo desea vender?

Cuando habla con un verdadero profesional de bienes raíces sobre la venta de su vivienda debe estar claro sobre los motivos para mudarse, cuánto dinero espera recibir por la venta y cuánto necesita para pagar por la hipoteca o para adquirir una nueva propiedad. También debe informar al corredor que tiempo cree que le tomará realizar estas actividades. Trabajar con un verdadero profesional en esta área le permitirá obtener una idea adecuada del valor de la propiedad y cuánto tiempo tomará venderla.

Un error que comúnmente cometen los vendedores es asumir el valor de su propiedad; el hecho de que un vecino este vendiendo y pidiendo un precio alto no significa que usted pueda vender la suya por más dinero. Hable con el corredor de bienes raíces ya que él está familiarizado con el área y no le costará nada. Cualquier corredor amablemente le hará un análisis de mercado gratis sólo por tener la oportunidad de vender su propiedad.

Antes De Poner En Venta Su Vivienda

Antes de poner en venta su vivienda tome algunas decisiones importantes y realice la acción apropiada para aumentar las oportunidades de vender el inmueble rápidamente y al mejor precio.

Decisiones financieras:

Tome estas decisiones financieras antes de poner en venta la vivienda:

1. Si planea comprar otra vivienda y cuenta con el dinero de la venta de su propiedad actual, incluya una contingencia en la oferta. Es decir, especifique en el contrato que la compra de la vivienda depende de la venta de su propiedad actual. Si por casualidad no puede vender su

vivienda, no estará en la obligación de comprar la otra.

2. Asegúrese de que califica para obtener financiamiento si va a comprar otra propiedad.
3. Venda la vivienda a un valor de mercado razonable. No pierda el tiempo ofreciéndola a un precio mucho más alto del que puede pagar el mercado. ¡Lo único que puede lograr con esto es ayudar a su vecino a vender rápido la de él!
4. Si está trabajando con un agente inmobiliario, asegúrese de entender y estar de acuerdo con el plan de remuneración.
5. Tenga una lista de los artículos que desea vender y una lista de los que no quiere vender. Hay dos razones para hacer esta lista. En primer lugar, el comprador puede asumir que hay artículos incluidos en la venta, como por ejemplo cortinas, lámparas o muebles fijos. Para evitar complicaciones que podrían retrasar la venta, especifique lo que se excluye y lo que se incluye en la venta. En segundo lugar, el comprador puede estar dispuesto a comprar artículos de su casa, como cuadros o muebles. Tomará una decisión más objetiva sobre qué desea conservar y cuál es el valor de los bienes, si lo piensa antes de ser presionado por la venta del inmueble.

Recuerde siempre que se trata de una transacción de negocios y trátelo como tal. Es fácil involucrarse sentimentalmente en el proceso, ésta es otra razón de por qué es importante usar un agente inmobiliario: lo puede ayudar a mantenerse objetivo y concentrado.

La mayor expectativa en la venta de un inmueble, radica en lograr que la otra parte esté de acuerdo con sus términos para obtener el mayor beneficio.

Preparando su propiedad para la venta

Cuando usted decida poner su inmueble a la venta, es esencial que la arregle de modo que sea lo más atractiva posible. Después de años de compra y venta de inmuebles residenciales para nuestros clientes, en Ioxus Properties hemos llegado a la conclusión de que muchos compradores eligen una propiedad con base a criterios subjetivos, emocionales, y no necesariamente en decisiones fundamentadas en criterios objetivos, técnicos y financieros. La mayoría de los compradores de propiedades residenciales no son inversionistas; se preocupan más por cómo se sienten acerca de la propiedad, en lugar de considerar el potencial de revalorización al término de dos o tres años. Conocer las características personales (estado civil, grupo familiar, tipo de actividad económica-laboral, intereses deportivos-recreacionales) del potencial comprador orientan hacia qué aspectos del inmueble se deben destacar a fin de estimular su interés por la vivienda en venta.

En este sentido, estimamos pertinente presentar una lista con los aspectos a considerar para el momento de mostrar el inmueble en venta. Es importante proporcionar un clima agradable y atractivo al potencial comprador.

- Asegúrese de que su vivienda esté limpia por dentro y por fuera, eliminar cualquier eventual mancha en los pisos y/o paredes; cada parte del inmueble debe estar perfectamente limpia; de lo contrario, corre el riesgo, entre otros, de sembrar la duda en el potencial comprador, en cuanto al debido mantenimiento de aquellos lugares del inmueble que en una primera visita no son fáciles de observar.
- Si usted tiene alfombra, preséntela limpia o instale alfombras nuevas si éstas están en mal estado. Es una pequeña inversión que recuperará fácilmente cuando venda la propiedad a su precio máximo.
- Limpie todas las ventanas. Se sorprendería al saber el efecto que causa en el comprador ver unas cuántas ventanas magníficas.
- Deshágase de todo lo que no necesita. Mientras menos muebles, adornos y pertenencias personales mejor; es mucho más convincente un espacio despejado y limpio.

- Pinte el inmueble; pequeñas inversiones se pueden traducir en ventas rápidas y ajustadas a las expectativas.
- Quite los carros de la entrada del garaje. Le hará más fácil al comprador estacionarse. Si el estacionamiento está lleno, los compradores potenciales se marcharán antes de ver la casa.
- Si tiene mascotas o fuma en el inmueble, asegúrese de desodorizarla.
- Organice sus armarios. Esto da sensación de limpieza y atrae a potencial comprador.
- No le dé al comprador una razón para ofrecerle menos dinero porque su propiedad luce sucia o deteriorada. Estos problemas pueden ser solucionados fácilmente y una pequeña inversión para corregirlos le proporcionará ganancias al vender la casa por su precio máximo.

Contratos

¿Qué es un contrato de compra - venta?

Un contrato de compra - venta es un documento escrito, usualmente enviado por el comprador al vendedor, detallando las condiciones del primero para la adquisición de la propiedad. Las condiciones o términos, sin embargo, pueden ser extremadamente complicados ya que cubren una extensa serie de puntos como, por ejemplo, el precio, el pago inicial, arreglos de hipoteca, cronograma de depósitos, artículos que se dejarán en el inmueble, título, impuestos, consecuencias en caso de mora, requerimientos y condiciones para la compra, cláusulas especiales y otros detalles importantes como requerimientos de inspección.

Debido a todos los detalles que hay que cubrir, recomendamos buscar asesoría profesional de un corredor de bienes raíces experimentado o de un abogado inmobiliario que considere sus mejores intereses. Es muy importante entender los términos antes de comprometerse a firmar un contrato.

Se han visto contratos redactados por compradores donde el vendedor está sujeto a las decisiones del comprador; en virtud del cual éste puede cancelar la transacción por cualquier razón, sin la aplicación de penalidad alguna.

El factor general y clave en la mayoría de los contratos incluye las inspecciones, el vencimiento de los depósitos y la cantidad de dinero de los mismos, las opciones de financiamiento, cómo optar por una hipoteca, las cláusulas de la misma, la fecha de cierre, y cualquier cláusula especial o de contingencia descrita en el contrato de compra - venta. Por lo menos trate de familiarizarse lo mejor posible con todos estos puntos.

Uno de los aspectos más importantes, que tanto el comprador como el vendedor deben comprender, es el cálculo del tiempo que tomará el proceso antes del cierre. En otras palabras, una de las frases más importantes de las ventas inmobiliarias y contratos de compra es "el tiempo es esencial (time is of the essence)". Sin embargo, muchos vendedores y compradores lo dan por sentado, y esto, en muchos casos, les cuesta dinero, disputas legales y muchos problemas.

Proceso de Cierre

Es muy importante que tanto el comprador como el vendedor estén bien informados sobre los pasos a seguir una vez firmado el contrato. Especialmente el comprador debe estar sumamente atento al solicitar una hipoteca, al contratar una compañía o un abogado para preparar los documentos del cierre, y a la realización de las inspecciones, entre otras cosas.

Las inspecciones

Legalmente, tanto el vendedor como el agente del vendedor están obligados a declarar los defectos materiales de la propiedad al comprador potencial. Recomendamos al vendedor que contrate un profesional para hacer una inspección antes de poner la casa en venta. Una inspección puede descubrir los defectos que pueden ser reparados antes de mostrar la casa y negociar un contrato. Esto ahorrará tiempo y prevendrá cualquier sorpresa para el evento de encontrar inesperadamente algún desperfecto. Además, esto dará una idea más exacta de la cantidad que puede obtener por el inmueble.

Puntos del avalúo

Existe una gran diferencia entre aumentar el potencial de venta de su casa y aumentar el valor de la misma. Mejorar su inmueble no necesariamente implica que se venderá por un valor superior a otros en la misma cuadra. Por ejemplo, pintar, remodelar la cocina, colocar mármol o pisos de parquet hará que su inmueble sea definitivamente más atractiva que el de al lado –seguramente tendrá más personas esperando comprarla por el precio que usted pide– pero no se venderá por mucho más.

La siguiente es una lista de puntos que uso con mis clientes y aconsejo a los corredores de bienes raíces utilizar en cada transacción para evitar conflictos y lograr el cierre exitosamente. En Ioxus Properties la llamamos "Lista de Proceso Compra y Venta" en la cual se detallan los pasos a seguir una vez se firma el contrato.

Ioxus Properties

"Lista de Proceso Compra y Venta"

- Hoja del proceso por etapas.
- Declaración de intermediario en transacciones.
- Contrato de compra (firmado y con iniciales) firmado por cada una de las partes envueltas, incluyendo cónyuges, si aplica.
- Anexos (firmados y con iniciales).
- ¿Todos los propietarios de la vivienda firmaron el contrato? (ambos cónyuges).

- o Declaración del vendedor. (Seller's Disclosure)
  - o Declaración modelo.
  - o Documentos del Condominio (Condo Docs), en caso de que la propiedad sea un condominio.
  - o Cuestionario del condominio.
  - o ¿Hay alguna limitación en el arrendamiento de la propiedad?
  - o ¿Hay restricciones sobre mascotas en la propiedad?

PROCESO POR ETAPAS

- o Fecha de entrada en vigor (cuando tanto el comprador como el vendedor firmaron el contrato) _______________ (Fecha).
- o Solicitud de hipoteca_____________ (última fecha para la solicitud) _____________ (fecha en que se realizó la solicitud).
- o Solicitud ante la junta de condominio ________ (última fecha para la solicitud) _______________ (fecha en que se realizó la solicitud).
- o Primer depósito____________________ (Fecha suministrada al corredor).

- Fecha del Segundo depósito__________ (última fecha para depositar) __________ (fecha del depósito).
- Fecha de la inspección__________ (ultimo día para la inspección) ________ (fecha de la inspección).
- Fecha de cierre de la operación__________ ____.
- Declaración del vendedor suministrada ____________________ (Fecha).
- Acuse de los documentos del condominio __________________________. (Fecha)
- Fecha de la revisión (walk through)______ __________________ (fecha).

Lista de revisión antes del cierre. (Walk Through)

- Instalaciones_______Sistema de agua____ ___.
- Pisos_____ Llaves del garaje_______.
- Pantallas_______ Llaves de la comunidad______.
- Lámparas________ Llave del buzón de correo_______.
- Alarmas________ Paredes______ unidades A/A

CAPÍTULO 11
TRABAJANDO CON UN AGENTE INMOBILIARIO EN EL PROCESO DE VENTA DE UN INMUEBLE

¿Por qué usar un corredor de bienes raíces al vender su vivienda?

De las innumerables ventajas de contratar agentes inmobiliarios, podríamos señalar, las siguientes:

- <u>Mayor posibilidad de publicidad.</u> Tomando en cuenta que el tiempo es de gran importancia para el vendedor, la publicidad que proporciona un corredor de bienes raíces aumenta definitivamente las oportunidades de vender la vivienda más rápidamente. Muchos vendedores no se dan cuenta de que al hacer todo el trabajo ellos mismos invierten mucho tiempo y dinero antes de encontrar un comprador. Los agentes inmobiliarios tienen una amplia red disponible y acceso a muchos potenciales compradores; usualmente, pertenecen a la Asociación Nacional de Corredores de Bienes Raíces, lo cual les da oportunidades magníficas de promocionar el inmueble. Como miembro de la asociación, un agente puede publicar los inmuebles que están a la venta en muchas páginas Web, tales como Realtor.com, Miami Herald.com y MLS (Sistema de Cartera Inmobiliaria) -- la herramienta más usada por los agentes inmobiliarios cuando buscan propiedades. Otra fuente de promoción del inmueble, empleada con frecuencia, es la publicación en periódicos locales, entrega de volantes en la comunidad local. Actividad esta que implica importantes costos económicos y que constituye una de las contraprestaciones de los agentes inmobiliarios por el pago de la comisión que se haya acordado con el vendedor.

- MLS. (Multiple Listing Services) Definitivamente la herramienta más importante a la hora de vender una propiedad. El MLS es el instrumento más importante con el cual cuenta el profesional, el licenciado, en bienes raíces en los Estados Unidos de Norteamérica, inscrito en la Asociación Nacional de Corredores (Nacional Realtors Association), es la conocida con las siglas MLS (Multiple Listing Services), cuyo equivalente en español es "Servicios de Lista Múltiple".

  A este respecto vale observar que la Asociación Nacional de Corredores Inmobiliarios (Nacional Realtors Association) es una asociación que acoge a los profesionales licenciados en bienes raíces; esto es, a todo aquel que una vez cumplidos los requisitos de especialización, hayan obtenido su licencia y que periódicamente actualicen y renueven esta licencia, conforme a la legislación correspondiente.

  Pertenecer a esta asociación otorga a los agentes inmobiliarios, entre otros, el beneficio de tener acceso al **MLS** en todo su contenido y extensión; es decir, tener el derecho a disponer no sólo de la información referida a la descripción física de cada inmueble, a la cual tiene acceso el público en general, sino también tener acceso a la información atinente al estatus legal e impositivo de cada inmueble, lo cual es fundamental para garantizar una transacción inmobiliaria segura; y, que está sólo reservada para el profesional inmobiliario debidamente acreditado.

Por ello es importante reiterar, que si bien el público en general puede tener acceso a cierta información del MLS, a diferentes portales inmobiliarios, como por ejemplo, el de nuestra propia empresa (www.ioxus.com), la información que puede obtener de tales fuentes, está referida única y exclusivamente a la descripción física del inmueble; cualquier información de orden legal e impositiva, sólo puede obtenerla el licenciado en bienes raíces, inscrito en la Asociación Nacional de Corredores (National Realtors Association).

Esta posibilidad de poder disponer de toda la información relativa a un inmueble es lo que, entre otros tantos aspectos, le confiere un carácter

especial al agente inmobiliario, lo cual se traduce en beneficios para quien contrata sus servicios.
Por ejemplo, si se trata de una persona interesada en comprar un inmueble, la información a la cual el agente inmobiliario debidamente acreditado puede tener acceso, le permite al interesado orientar adecuadamente la búsqueda del inmueble y evitar el riesgo de sorpresas desagradables ante eventuales inmuebles cuyo estatus legal conspira contra la pretensión de realizar una transacción inmobiliaria segura.
Si por el contrario, se trata de alguien quien pretende vender su inmueble, el contratar un agente inmobiliario acreditado permite, entre otras tantas ventajas, ampliar significativamente su rango publicitario en razón de que su inmueble <u>pasa a formar parte de la red de corredores</u> quienes en su oportunidad, si fuere el caso, se contactarían directamente con el agente contratado por usted y, entre otras actividades, podrán acordar las visitas correspondientes al inmueble, lo cual incrementa las posibilidades de una venta rápida, rentable y segura.

- <u>Factor seguridad.</u> Uno de los riesgos principales que usted enfrenta cuando muestra la casa por su cuenta, es que no sabe a quién está dejando entrar a su hogar. Cuando contrata un agente inmobiliario, éste hace la investigación adecuada antes de permitir la entrada de cualquier persona. Siendo esta otra de las obligaciones a que se contrae el agente inmobiliario, si bien per se no supone, en principio, un costo económico, se traduce en una mayor protección personal para el propietario del inmueble y para su grupo familiar; siendo esa obligación la referida a la preselección que hace el agente inmobiliario de quien pretende visitar el inmueble, a fin de reducir los riesgos que implica llevar desconocidos, especialmente cuando éstos están habitados.

- <u>Riesgo de responsabilidad</u>. La mayoría de los vendedores no saben que si al vender una propiedad suministran información errónea al llenar el contrato o no proveen toda la información necesaria como por ejemplo los formatos: <u>"Energy Efficiency disclosure, Random Gas disclosure, Lead-Based Paint para propiedades construidas</u>

antes 1978. disclosure, Propety Tax Disclosures, entre otros, de acuerdo con el reglamento del estado, o si no proceden de manera diligente, pueden sufrir repercusiones legales. Un tribunal lo puede considerar responsable aunque usted no conozca las leyes. Si se llegase a incoar una demanda en su contra, el costo sería mucho mayor al que le hubiese cobrado un agente inmobiliario, sin mencionar la presión y la tensión que involucraría presentarse ante el tribunal. Yo sugiero que se quite ese peso de los hombros y permita que un profesional lo ayude.

Conocimiento del Mercado. El vendedor puede estar familiarizado con el mercado; sin embargo, en muy pocos casos sabe más que un profesional inmobiliario experimentado. He sido testigo de esto muchas veces; vendedores que le ponen precio a sus inmuebles por debajo del valor de mercado regalando miles de dólares. En otras ocasiones, les ponen un precio demasiado alto y pasan meses sin que se presente una oferta, pero han hecho un gran esfuerzo atendiendo cientos de llamadas, mostrando la propiedad durante el día (especialmente los fines de semana), perdiendo dinero en publicidad, etc. Muchos compradores legítimos se les van de las manos por carecer de conocimiento indispensables requeridos en la industria inmobiliaria. De acuerdo con el informe del año 2004 de la Asociación Nacional de Agentes Inmobiliarios (National Realtor Association), sólo el 32 % de vendedores de propiedades residenciales logran vender satisfactoriamente sin la asesoría de un corredor inmobiliario; igualmente, indica ese reporte que los propietarios de inmueble obtuvieron mayor beneficio de la venta, cuando contrataron los servicios profesionales del agente inmobiliario, lo cual se evidencia en el precio promedio nacional registrado para las transacciones sin agente, cual fue de US$145,000 en contraste con los US$175,000 para aquellas operaciones inmobiliarias donde si participaron agentes inmobiliarios. Circunstancia esta que nos permite respaldar nuestra firme convicción de que la decisión de comprar y/o vender bienes inmuebles, debe ir acompañada de la decisión de contratar profesionales serios, con base sólo a criterios técnicos, y, no asumir la aventura de comprar y/o vender por cuenta propia.

- Mayor posibilidad de negociación. Un agente inmobiliario exitoso ha negociado muchos contratos y tiene experiencia para negociar los contratos protegiendo los intereses de su cliente. El agente tiene mayores oportunidades de conseguir el mejor precio, términos y opciones al vender su vivienda.

- Tiempo para mostrar la propiedad. Si usted es como la mayoría de las personas, seguramente tiene una agenda muy ocupada. Agregar nuevos compromisos, como mostrar su propiedad, no es nada fácil. Para ello debe estar disponible la mayor parte del día y debe organizar las horas que dedicará a los compradores. Es esta una de razones para que los vendedores contraten un agente inmobiliario, cuyo trabajo a tiempo completo es mostrar inmuebles. El agente se dedica a vender su propiedad y está disponible prácticamente las 24 horas del día, especialmente los fines de semana, cuando usted quiere relajarse y pasar tiempo con su familia.

- Tiempo para vender. Si usted necesita vender su inmueble rápido, no tiene tiempo que perder. Contrate un agente acreditado que tenga un plan de mercadeo, que le ofrezca la publicidad necesaria para vender su propiedad. Por su experiencia, éste sabrá cuáles son los mejores lugares para promocionar la misma. Tendrá mayores oportunidades de venderla más rápido con un agente que intentando determinar por su cuenta cuáles son los mejores métodos para publicar su propiedad.

EL AGENTE INMOBILIARIO A MEDIO TIEMPO O TIEMPO PARCIAL.

La experiencia en este sector de la economía, ha demostrado que el tiempo que el agente inmobiliario dedica a su actividad es determinante en la calidad de sus servicios. Y, ello se debe a la complejidad de este sector que rige todas las transacciones de bienes inmuebles, compra y/o venta, en los Estados Unidos de

Norteamérica y especialmente en el Estado de La Florida; y, por otra parte, la complejidad que se deriva de la variabilidad del mercado, lo cual determina, entre otros, la oportunidad para realizar una operación inmobiliaria, bien sea venta o compra; la escogencia del bien a adquirir, cuando de invertir se trata; las ventajas de adoptar una determinada opción financiera. El mercado inmobiliario en la Florida cambia a diario, propiedades se venden y compran constantemente, el inventario varia, los precios y términos cambian de un día a otro. Esta situación solo puede ser manejada exitosamente por profesionales expertos dedicados a tiempo completo a esta profesión.

En consecuencia, el agente inmobiliario para quien esta actividad es sólo un complemento económico de cualquier otra, muy difícilmente puede garantizar un servicio de calidad, donde el manejo de todas las implicaciones legales y del mercado, que pueda traducirse en asesorías que conduzcan a cierres exitosos para todas las partes involucradas.

En resumen, usted puede intentar vender su propiedad si:

1. No tiene prisa en que se venda.
2. Está dispuesto a invertir tiempo para mostrarla, probablemente todos los fines de semana.

3. Se siente seguro dejando que extraños entren a su hogar.
4. Posee conocimientos sólidos sobre el mercado de bienes raíces en su zona.
5. Está familiarizado con las leyes fiscales y de bienes inmuebles.
6. Se siente cómodo negociando términos y precios.
7. Y, por último, conoce la información que usted como vendedor debe suministrar al comprador.

En nuestro carácter de agentes inmobiliarios hemos visto tantos errores durante el proceso, que no le recomendaría a nadie vender una propiedad sin la ayuda de un profesional. La mayoría de las transacciones se tropiezan con algún tipo de problema; cuando no es el financiamiento, es el título de propiedad, la inspección, el depósito en custodia, la aprobación del comité del condominio, los documentos de cierre o una firma que falta, entre otros. La mayoría de los problemas son resueltos satisfactoriamente, si se tiene control de cada etapa del proceso; sin embargo, aún con la experiencia y conocimiento del profesional inmobiliario, del abogado y del contador que trabajan en la transacción, la operación se puede caer. Es un proceso complejo que para que termine felizmente para todas las partes involucradas, requiere del manejo adecuado de cada una de las fases que lo comprenden; de allí nuestra insistencia en la contratación de profesionales expertos y responsables.

La asesoría de agentes inmobiliarios responsables, significa para quien pretende hacer la transacción (comprar y/o vender su inmueble) conocer todos los trámites, deberes y obligaciones que tales transacciones implican, conocimiento del mercado, tipo de inmueble a selección, si se trata de adquirir uno, mejor oportunidad para realizar la transacción, en qué circunstancias resulta más favorable llevar a cabo la operación, si como persona natural o como persona jurídica, entre tantas otra; lo cual, conforme a la experiencia, conduce indefectiblemente a cierres exitosos.

EL MITO DE LA COMISIÓN QUE SE AHORRA EL PROPIETARIO QUE VENDE POR SU PROPIA CUENTA.

¿Cuánto es la comisión del agente y quién la paga?

La remuneración de los agentes inmobiliarios, en la mayoría de las transacciones, se lleva a cabo de la siguiente manera: En ella participan dos agentes: el que representa al vendedor y el que representa al comprador; es el vendedor de la propiedad el responsable de pagar la comisión, la cual generalmente, oscila entre el tres por ciento (3%) y el seis por ciento (6%) sobre el precio de venta, y que frecuentemente, es dividida en partes iguales entre ambos agentes. Es decir el comprador de la vivienda en la gran mayoría de los casos no paga ningún tipo de comisión al agente inmobiliario.

Es normal que el propietario trate de vender su bien inmueble directamente, sin la contratación del agente inmobiliario, fundamentado en la creencia de que así se ahorra el seis por ciento (6%) de la comisión que cobra este profesional; y no advierte que en realidad la venta directa supone para el propietario unos gastos que, en su mayoría, igualan ese porcentaje; y, gastos los cuales, son asumidos por el agente inmobiliario; siendo algunos de ellos, los mencionados anteriormente tales como: Costo de publicidad impresa (volantes, folletos, "open-houses"), selección de los potenciales compradores, visitas a los inmuebles; en fin, una serie de actividades que se traducen en beneficio para el vendedor, en la medida que el agente inmobiliario asume responsabilidades que tienen, no sólo un valor económico, sino un valor de seguridad y tiempo que lo previene de eventuales situaciones estresantes y de riesgo para su persona y su grupo familiar.

Tomando en consideración que la decisión de realizar una transacción inmobiliaria, es una de las más relevantes en la vida de una persona, es por lo que recomendamos que ésta, esté acompañada de la decisión de contratar los servicios de agentes inmobiliarios especializados.

GLOSARIO

Agente de Cierre (Closing Agent): Persona que coordina las actividades relativas al cierre, como el registro de los documentos de cierre y los fondos de desembolso.

Agente Hipotecario (Mortgage Broker): Profesional de finanzas independiente que se especializa en reunir a los prestamistas y a los prestatarios para facilitar las hipotecas de bienes inmuebles.

Amortización: Es un término usado para describir el proceso de pago de un préstamo en un período de tiempo determinado a una tasa de interés específica. La amortización de un préstamo incluye el pago del interés y de una porción del saldo del capital por pagar durante cada ciclo de pago.

Anticipo (Deposit): Una parte del precio de la casa, generalmente entre 3 y 20%. No es parte del préstamo y se paga inicialmente.

Arbitraje: Es un proceso mediante el cual se resuelven las disputas remitiéndolas a una tercera parte imparcial (arbitrador) escogido por las partes en conflicto las cuales acuerdan con anticipación acatar la decisión del arbitrador. Se realiza una audiencia en la que ambas partes tienen la oportunidad de exponer el caso, después de la cual el arbitrador emite su decisión.

Asbesto: Es un material tóxico que en el pasado era usado como material aislante y a prueba de fuego en los hogares. Debido a que algunos tipos de asbesto han sido relacionados con enfermedades pulmonares, ya no se usa en las casas construidas recientemente. Sin embargo, algunas casas viejas pueden tener todavía asbesto en estos materiales.

Valoración (Appraisal): Es un análisis profesional, que incluye referencias a ventas de propiedades similares, usadas para estimar el valor del inmueble.

Tasador (Appraiser): Es un profesional que lleva a cabo un análisis de la propiedad, incluyendo referencias a ventas de propiedades similares con el fin de estimar el valor del inmueble. El informe emitido por el avaluador se denomina "avalúo".

Cierre (Fecha de Cierre): Cuando se culmina una transacción inmobiliaria entre el comprador y el vendedor. El comprador firma los documentos de hipoteca correspondientes y se cancelan los gastos de cierre. También conocida como fecha del finiquito.

Coeficiente Deuda-Ingreso: Porcentaje de ingreso mensual bruto que se utiliza para el pago de los costos mensuales de vivienda, deudas a plazo, pensión alimenticia, pagos de vehículo y pagos de giros o de cuentas abiertas como tarjetas de crédito entre otros.

Condominio: Apartamento en un edificio de apartamentos múltiples. El propietario de un condominio posee un apartamento y tiene el derecho, al igual que los demás propietarios, de utilizar las áreas comunes. Sin embargo, no posee los elementos comunes como las paredes exteriores, pisos y techos o los sistemas estructurales fuera del apartamento; todo esto es propiedad de la junta de condominio. Generalmente, existe el fondo de la junta que se utiliza para el mantenimiento del edificio y el cuidado del inmueble, los impuestos y la contratación de seguros para las áreas comunes, y se reserva una parte para mejoras.

Costos de Cierre: Costos para cumplir la transacción inmobiliaria. Estos costos se suman al precio de la casa y son pagados en el cierre. Incluyen puntos, impuestos, seguro del título, costos de financiamiento y montos que deben ser prepagados o depositados, entre otros. Se debe solicitar al prestamista o al profesional de bienes raíces una lista completa de costos de cierre.

Crédito: Habilidad de una persona para obtener dinero con pagos a plazos, como consecuencia de una opinión favorable hecha por un prestamista, de acuerdo a la situación financiera personal y la confiabilidad.

Cronograma de amortización: Es suministrado por la entidad crediticia y muestra la forma en que, a lo largo del préstamo va disminuyendo la deuda al prestamista.

Declaración Acordada HUD-1: lista final de los costos de la transacción hipotecaria. Provee el precio de venta y el pago inicial, así como los costos totales acordados, requeridos por el comprador y el vendedor.

Depósito en Arras: Depósito que se realiza para hacer constar el compromiso de compra de la casa. El depósito no se devolverá luego de que el vendedor acepte la oferta, a menos que una de las contingencias del contrato de ventas no se cumpla.

Depósito en Custodia: Custodia de dinero o documentos por una tercera parte neutral antes del cierre. También puede ser una cuenta llevada por el prestamista (o servidor) en la cual el propietario de la casa paga dinero por impuestos y seguro.

Documento de pre-aprobación (Pre-approval letter): Carta del prestamista hipotecario indicando que usted califica para un monto específico de hipoteca. Esta carta también muestra al vendedor de la casa que usted es un comprador serio.

Ejecución Hipotecaria (Foreclosure): Acción legal que elimina los derechos de propiedad sobre una casa cuando el comprador no cumple con los pagos o está de otra manera incumpliendo con los términos de la hipoteca.

Estimado de Buena Fe (Good Faith Estimate): Afirmación escrita que enumera los costos aproximados y las cuotas de la hipoteca.

Garantía: Propiedad que actúa como seguridad de que una deuda se va a pagar. En el caso de una hipoteca, la garantía será la tierra, la casa o cualquier otra edificación.

Hipoteca: Préstamo asegurado por un embargo preventivo. El monto de la hipoteca es generalmente el precio de compra de la casa menos el anticipo.

Hipoteca con Tasa Ajustable ("ARM", por sus siglas en inglés): También llamada préstamo de tasa variable, usualmente una tasa inicial más baja que la de los préstamos de tasa fija. La tasa de interés puede cambiar durante períodos de tiempo específicos debido a cambios en una tasa de interés que refleja las condiciones financieras actuales del mercado, tales como la tasa LIBOR o como la tasa del departamento de hacienda pública. El pagaré del ARM establece tasas mínimas y máximas. Cuando la tasa de interés de una ARM aumenta, los pagos mensuales también aumentan y cuando la tasa de interés de una ARM baja, también bajan los pagos mensuales.

Hipoteca con Tasa Fija: Hipoteca con una tasa de interés que no cambia durante todo el plazo del préstamo.

Historial de Crédito: Una historia de crédito es un registro del uso de crédito. Es una lista resumida de las deudas de un consumidor individual y si éstas han sido pagadas o no en un período de tiempo o según "lo acordado". Las instituciones de crédito han desarrollado un complejo sistema de registros para documentar las historias de crédito. Esto se denomina un registro de crédito.

Índice: Índice publicado de las tasas de interés con el valor de una deuda pública comercial, utilizada para calcular la tasa de interés para una hipoteca a tasa ajustable. El índice generalmente es el promedio de las tasas de interés en un tipo específico de valor como el LIBOR y MTA entre otros.

Ingreso Neto Mensual: Pago que resta luego de pagados los impuestos. Es la cantidad de dinero que realmente se recibe en el cheque de pago.

Inspección del Inmueble: Inspección profesional de una casa para detallar la condición de la propiedad. La inspección debe incluir una evaluación de los sistemas de cañerías, calefacción y aire acondicionado, techo, instalación eléctrica, cimientos y plagas.

Límite de la Tasa: Límite en el monto que la tasa de interés de una hipoteca a tasa ajustable puede aumentar o disminuir durante cualquier período de ajuste.

Margen: Monto (expresando en porcentaje) añadido al índice de una hipoteca a tasa ajustable para establecer la tasa de interés en cada fecha de ajuste.

Prestamista Hipotecario: Prestamista que provee los fondos para una hipoteca. Los prestamistas también manejan el crédito y análisis de la información financiera, la propiedad y el proceso de aplicación del préstamo durante el cierre.

Préstamo Gigante (Jumbo Loan): Hipoteca más alta de los límites establecidos por Fannie Mae y Freddie Mac. Se resumen de la siguiente manera: menos de 48 estados: 1 unidad (ejemplo, una casa de familia individual): US$333.700; 2 unidades (ejemplo, una doble): US$427.150; 3 unidades; US$516.300; 4 unidades: US$641.650; para Alaska y Hawai: 1 unidad: (ejemplo, una casa de familia individual) US$500.550; 2 unidades (ejemplo, una doble): US$640.725; 3 unidades: US$774.450; 4 unidades: US$962.475.

Puntos: 1% del costo del préstamo de la hipoteca. Por ejemplo, si el préstamo es hecho por US$300.000, un punto equivale a US$3000.

Oferta: Ofrecimiento formal del comprador al vendedor para comprar un inmueble.

Contra Oferta: Nueva oferta hecha por la persona que ha rechazado una oferta anterior.

Oficina de Crédito: Compañía que reúne información sobre los consumidores que utilizan crédito y vende esa información en forma de registros de crédito a prestamistas de créditos.

Radón: Gas tóxico que se encuentra en el suelo bajo una casa y que puede causar cáncer u otras enfermedades.

Refinanciamiento: Obtención de una nueva hipoteca con todos o una parte de los procedimientos utilizados para pagar la hipoteca anterior.

Registro de Crédito: Documento utilizado por una industria de crédito para examinar el uso de crédito de un individuo.

Resultado de Crédito: Número generado por computador que resume el perfil de crédito individual y predice la probabilidad que un prestatario pagará futuras obligaciones.

Reevaluación: Un aumento en el valor de la vivienda debido a un cambio en las condiciones del Mercado y/o a mejoras de la propiedad.

Seguro Hipotecario Privado: véase Seguro Hipotecario.

Seguro del título de propiedad: Seguro que protege a los prestamistas y a los propietarios en caso de pérdida de su interés en la propiedad por problemas legales con el título.

Tasa de Interés Anual ("APR", por sus siglas en inglés): El costo del crédito expresado en una tasa anual. La APR incluye la tasa de interés, los puntos, los honorarios del corredor y otros cargos del crédito cuyos pagos son exigidos al prestatario.

Tasa de Interés Garantizada: Acuerdo escrito que garantiza la tasa de interés específica cuando la hipoteca finaliza.

Tasa Hipotecaria: El costo o la tasa de interés que se paga al pedir un préstamo de dinero para la adquisición de un inmueble.

Título: El derecho del propietario y la propiedad de la tierra del mismo. El término título es a veces utilizado como la evidencia o la prueba de la propiedad de una tierra; aunque otro término utilizado para esto es el de escritura.

Valor de Mercado: Valor actual de una inmueble basado en la cantidad que el comprador está dispuesto a pagar. El valor está determinado por un avalúo que a veces es utilizado para determinar el valor de mercado.

Valor patrimonial: Valor de la casa menos el monto total del préstamo. Si usted debe $100.000 de su casa pero ésta vale US$130.000, usted cuenta con $30.000 de valor patrimonial.

Fuente: www.freddiemac.com/homebuyers/glossary.html.

REFERENCIAS

1. La "Federal National Mortgage Association - Fannie Mae" (Asociación Nacional Federal de Hipotecas – Fannie Mae) ofrece "Unraveling the Mortgage Loan Mystery" (Descubriendo el Misterio del Préstamo Hipotecario), una publicación que se encuentra disponible llamando al (202) 752-7000. También ofrecen información acerca de todos los aspectos de comprar una vivienda: www.fanniemae.com.
2. El "Consumer Information Center" (Centro de Información al Consumidor) también tiene folletos acerca de comprar una vivienda, seguro y peligros residenciales. La mayoría de los folletos son gratis, pero algunos cuestan hasta US$1,50. Escribir al "Consumer Information Center", P.O. Box 100, Pueblo, CO 81002, para información.
3. "Quicken Loans" (Préstamos Quicken).

4. La "Mortgage Bankers' Association" (Asociación de Banqueros Hipotecarios) ofrece folletos gratis acerca de poseer una vivienda, tales como "A Consumer's Glossary of Mortgage Terms, Self Test" (Glosario de Términos Hipotecarios del Consumidor, Auto-Examen), el cual ayuda a determinar qué monto un consumidor puede sufragar para pagar una propiedad, y "What Happens After You Apply for a Mortgage" (Qué Sucede Después de Solicitar Una Hipoteca). Para recibir una copia de estos u otros folletos, escribir a "The Mortgage Bankers' Association", 1125 15th Street, NW, Washington, D.C. 20005, o llamar al (202) 861-6500.
5. El Departamento de Rentas del Estado de Florida ofrece asesoría e información acerca de las consecuencias y beneficios tributarios de comprar una vivienda, así como información adicional acerca de la Exención Fiscal para Viviendas Familiares: www.myflorida.com/dor/.
6. "Internal Revenue Service" (Servicio de Rentas Internas). www.irs.gov.
7. "Financial Calculators" (Calculadores Financieros): www.mortgages-loans-calculators.com/Provide-Calculators.asp.

8. "Florida Department of Revenue" (Departamento de Rentas de la Florida).
9. Infoplease (w-2).
10. www.irs.gov.
11. www.myflorida.com.
12. Diccionario de Términos de Bienes Raíces (Guías de Bienes Raíces de Barron) Quinta Edición.
13. Xsite By A la mode, Inc.
14. National Association of Realtors (Asociacion Nacional de corredores inmobiliaros 'Realtors'.)
15. http://www.census.gov

Printed in the United States
78815LV00001B/28-36